D0813209

LE RÉGIME F
PLAN FIBRES

Ce livre est paru dans l'édition originale
en anglais sous le titre « F. PLAN DIET » chez Penguin Books

ISBN 2-7604-0200-2

Imprimé au Canada

Audrey Eyton

LE RÉGIME F-PLAN FIBRES

POUR MAIGRIR RAPIDEMENT ET VIVRE PLUS LONGTEMPS

MONTRÉAL - PARIS

A PROPOS DE L'AUTEUR

Audrey EYTON peut, à juste titre, prétendre qu'elle a fondé l'une des revues les plus populaires, une revue consacrée aux problèmes de l'amaigrissement. Quand, il y a 13 ans, avec un associé, elle a lancé « Slimming Magazine » (« Maigrir »), c'était la première revue au monde consacrée à cette question. « Slimming » a démarré de façon artisanale, pratiquement sans capitaux. Personne ne croyait possible de continuer à écrire régulièrement sur ce seul sujet. Quelle erreur ! Le succès a été immédiat et « Slimming » est toujours le principal best-seller, bien que, depuis, beaucoup de publications rivales aient vu le jour.

Pendant plusieurs années, Audrey EYTON a édité la revue. Puis elle en est devenue rédactrice en chef. Pendant qu'ils étaient propriétaires de cette société (elle a été vendue en 1980), son associé et elle ont, par ailleurs, ouvert la **Ferme de Santé de Ragsdale** *et créé l'une des plus importantes chaînes britanniques de clubs d'amaigrissement. Audrey EYTON y travaille toujours comme consultante.*

Pendant toutes ces années consacrées aux problèmes du poids, Audrey EYTON a travaillé avec les plus grands spécialistes mondiaux de la médecine, de la nutrition et de la psychologie. Elle est devenue, elle aussi, un expert à part entière. Aucun écrivain n'a sur ce sujet autant de connaissances théoriques et pratiques.

Audrey EYTON a un fils de 16 ans et elle partage son temps entre Kensington (Londres) et le Kent.

Son livre a été spécialement adapté en fonction des goûts et des habitudes alimentaires locales, notamment en ce qui concerne toutes les recettes qui figurent dans cet ouvrage ainsi que les produits disponibles sur le marché.

AVERTISSEMENT

La lecture de ce livre vous convaincra du haut intérêt des fibres :

— pour maigrir
— pour combattre la constipation
— pour vous alimenter plus sainement
— pour réduire — selon toutes probabilités dans l'état actuel de la recherche médicale — les risques de cancer du côlon, ainsi que d'un certain nombre d'autres maladies.

Cela dit, vous avez quelques kilos à perdre, mais vous avez aussi un problème de santé ? Alors, allez voir votre médecin avant de vous mettre au régime.

INTRODUCTION

Les dernières années ont vu fleurir des régimes amaigrissants basés sur tel ou tel aliment présenté comme aidant à perdre du poids mieux et plus vite. L'exemple le plus connu est le régime-pamplemousse qui réapparaît régulièrement. Récemment encore, un best-seller américain lui a attribué des propriétés amincissantes quasi-magiques. Malheureusement, tous ces régimes comportent plus de rêve que de réalité — surtout de réalité médicale et scientifique. Sauf — et encore — la caféine (qui peut légèrement augmenter le métabolisme), il n'existe aucun aliment pour lequel on ait pu démontrer scientifiquement une action effective sur la perte de poids. Celle-ci dépend avant tout des Calories *que nous ne mangeons pas* et de l'équilibre de l'apport calorique.

Mais aujourd'hui, pour la première fois dans l'histoire de la médecine, on connaît des substances dont on peut affirmer que les inclure dans un régime amaigrissant permet de perdre du poids plus vite et plus facilement qu'avec des aliments analogues n'en contenant pas. Ce sont les FIBRES ALIMENTAIRES. D'où le PLAN-FIBRES.

Le Plan-Fibres explique comment diminuer l'apport calorique tout en augmentant la consommation de fibres alimentaires provenant des céréales complètes, des légumes, des fruits.

Il permet :

— de perdre du poids plus facilement parce qu'il rassasie beaucoup mieux que les classiques régimes restrictifs ;

— de perdre ce poids plus vite parce qu'une certaine proportion des Calories avalées n'est pas assimilée ;

— d'acquérir, en prime, tous les avantages pour la santé d'un apport suffisant de fibres alimentaires.

Il ne s'agit pas de l'affirmation de quelque animateur de

clinique spécialisée-minceur aussi péremptoire qu'ignorant. Ni du « truc » d'un amaigrisseur qui fait fortune avec des théories toutes personnelles sans confirmation scientifique. C'est la conclusion que l'on peut tirer des travaux menés par des équipes médicales et scientifiques de haut niveau, des spécialistes qui ne trouvent dans leurs découvertes aucun bénéfice financier. C'est toute la différence entre le Plan-Fibres et les multiples régimes-miracle.

« *Il paraît vraisemblable qu'un régime dans lequel sucres et amidons sont apportés sous des formes riches en fibres alimentaires contribue à mieux contrôler l'excès de poids, grâce à une sensation de satiété suffisante pour un faible taux calorique, et à l'augmentation de la proportion d'énergie potentielle perdue dans les selles* ».

Autrement dit : quand on mange suffisamment de fibres, on est rassasié avec moins de Calories. En outre, une partie des Calories mastiquées ne sera jamais utilisée et prendra tout simplement — et n'ayons pas peur des mots — le chemin des toilettes. Naturellement, ces Calories perdues sont récupérées sur l'excès de réserves grasses. Une raison de plus de perdre du poids.

Autre constatation qu'apprécieront à sa juste valeur tous ceux qui se sont, un jour, efforcés de maigrir : avec le Plan-Fibres, il faut un peu moins de volonté pour perdre un peu plus de poids.

Mais à qui donc avons-nous emprunté la citation ci-dessus ? Tout simplement à l'éminent et, par définition, hautement réservé Collège Royal britannique de Médecine. Cette phrase est tirée du rapport spécial sur les aspects médicaux des fibres alimentaires. Les membres du Collège Royal ont réuni de très nombreuses observations scientifiques de diverses provenances avant de s'engager ainsi. S'ils estiment vraisemblable qu'un régime riche en fibres et réduisant les sucres et les graisses soit particulièrement intéressant pour ceux qui doivent maigrir, nous devons ajouter une précision. *Le Plan-Fibres est le premier régime amaigrissant que l'on puisse suivre sans problèmes.*

Pourquoi une telle découverte est-elle aussi récente ? Tout simplement parce qu'il y a seulement une dizaine d'années que les chercheurs se sont penchés sur les avantages d'un régime riche en fibres. Jusque-là, seuls quelques « doux maniaques » insistaient sur la consommation de pain complet, vantaient les vertus du son et déploraient les effets néfastes de l'alimentation des pays à haut niveau de vie, riche en aliments raffinés.

Quand les chercheurs ont commencé à s'intéresser à la question, ils recherchaient des explications diététiques à de graves maladies, fréquentes dans les pays occidentaux mais extrêmement rares dans les pays en voie de développement. Pourquoi des affections comme les cancers intestinaux, certains troubles digestifs, les maladies cardiaques ou le diabète étaient-elles si fréquentes ici et si rares là-bas ? Ces populations faisaient-elles quelque chose que nous ne faisions pas ou vice-versa ?

Parmi les réponses qui se sont dégagées, on note celle-ci : dans les pays pauvres, l'alimentation est riche en fibres alors que, dans nos régions, nous les éliminons en raffinant les céréales et leurs dérivés.

L'intérêt pour la santé des fibres, du « ballast », est récemment devenu tellement évident que la grande presse s'en est emparée. Désormais, le public anglais et américain est informé. Et les maniaques de l'aliment de santé ne sont plus les seuls à courir acheter leur pain complet. La vente d'aliments typiquement riches en fibres ne cesse d'augmenter.

Si les rapports alimentation-santé ont été le premier motif des recherches qui ont abouti au vif intérêt du corps médical pour les fibres, c'est plus récemment qu'on a entrevu les rapports fibres-perte de poids. Un peu comme un sous-produit de la recherche primitive. Outre qu'ils

sont relativement exempts de maintes maladies graves, les habitants des pays en voie de développement mangeant suffisamment une alimentation riche en fibres sont épargnés par un autre fléau des pays industrialisés : l'obésité. Même quand l'alimentation est copieuse, les sociétés dont l'alimentation traditionnelle contient un haut pourcentage de céréales, légumes et fruits, tous riches en fibres, ne connaissent pratiquement pas l'excès de poids. Ces constatations ont conduit les chercheurs à se tourner vers ce tout autre aspect des fibres alimentaires. Pourquoi ces mangeurs de fibres restaient-ils minces, même quands ils mangeaient largement à leur faim ? Se pouvait-il que les Calories apportées par une alimentation naturellement riche en fibres soient digérées et utilisées différemment par l'organisme ? Après de nombreuses expériences scientifiques, la réponse est, sans aucun doute : OUI.
elles être utilisées pour perdre du poids ? C'est l'objet de ce livre.

Il ne peut y avoir de doute sur l'intérêt du Plan-Fibres et son propos : aider à maigrir grâce aux fibres alimentaires. Mais, partant du principe « *qu'il y a toujours un hic* », ceux qui, jusqu'ici, n'ont pas porté grand intérêt aux rapports fibres alimentaires - santé peuvent s'inquiéter du type d'aliments conseillés. D'une façon ou d'une autre, le terme même de « fibres alimentaires » est susceptible d'évoquer l'image d'une « pâture » aussi agréable et savoureuse que celle des vaches ou des brebis. Qu'on se rassure !

Des lentilles, du riz brun, voire un sandwich à la laitue et à la tomate (à condition qu'il s'agisse de pain complet) sont de bonnes préparations riches en fibres. Voilà qui devrait plaire aux amateurs de plats simples et savoureux. Un rapide coup d'œil sur les recettes situées à la fin de ce livre est même une petite aventure gastronomique.

On trouve les fibres alimentaires dans toute une

gamme d'aliments faciles à se procurer et de goût agréable. Le Plan-Fibres représente un moyen facile pour relever votre consommation à 30-35 g de fibres par jour — trois à quatre fois la consommation habituelle — sans sacrifier le plaisir de manger.

VOIR TABLE DES MATIÈRES

PAGE 230

I

LES FIBRES ALIMENTAIRES, LEURS PROPRIETES, LEURS SOURCES

Les fibres ne se trouvent que dans des aliments végétaux : céréales, légumes, fruits. Mais, de même que l'apport calorique varie beaucoup d'un aliment à l'autre, de même la teneur en fibres marque d'importantes différences. Certains végétaux sont très riches ; d'autres n'apportent que d'infimes quantités. Pour les céréales et leurs dérivés, la teneur en fibres dépend, pour une large part, de la mouture et du degré de raffinage. Les fruits et les légumes, même crus, même non épluchés, présentent de l'un à l'autre de telles différences qu'on ne peut faire de généralité à leur sujet.

Qu'est-ce que les fibres alimentaires ? On peut, en gros, les définir comme les matériaux de base des membranes cellulaires. Mais elles englobent également d'autres substances. On peut encore les décrire comme des substances glucidiques (provenant surtout des membranes cellulaires) qui ne sont pas attaquées par les sucs digestifs. Cette particularité est d'ailleurs la première explication à l'intérêt des fibres alimentaires dans un régime amaigrissant. Ce qui n'est pas digéré ne peut pas servir à fournir des Calories ou à fabriquer des réserves de graisse.

Toutes les plantes, tous les animaux (homme compris) sont constitués de cellules, mais les membranes cellulaires végétales ont une structure particulière. Barrière pour le contenu des cellules, elles sont aussi collecteur d'eau, soutien pour la plante et guide pour la sève. On est tenté de considérer les fibres comme l'ossature de la plante, ce qui est exact jusqu'à un certain point. Mais cette comparaison peut induire en erreur lorsqu'on essaie de déterminer à vue de nez les végétaux les plus riches en fibres. Celles-ci, par ailleurs, sont de plusieurs types :

— ***cellulose*** et ***hémi-celluloses*** restent insensibles aux enzymes digestives mais sont, en faible pourcentage, dégradées par les bactéries du côlon (ce qui peut provoquer des flatulences en cas d'abus). Ce sont des fibres plus ou moins dures.

— ***les pectines*** également dégradées en partie par la flore intestinale sont, au contraire, onctueuses. Ces substances gélifiantes se trouvent dans les fruits.

— ***la lignine*** traverse absolument intacte tout le parcours intestinal. Elle est particulièrement dure et peut se révéler irritante.

Non seulement la teneur en fibres, mais encore leur répartition, varient d'un végétal à l'autre, d'un échantillon à l'autre : de « vieilles » carottes, de « vieux » navets sont plus riches en lignine que les légumes nouveaux. Autre exemple : le céleri en branches semble montrer à tout un chacun une indubitable richesse en fibres. En réalité, il en contient deux fois moins que le céleri-rave. Et les petits pois extra-fins dont les publicités célèbrent le « moelleux » contiennent, à poids égal, quatre fois plus de fibres que le céleri en branches. Dans l'ensemble, cependant, les aliments riches en fibres demandent à être mastiqués longuement, autre avantage dans un régime amaigrissant, comme nous le verrons plus loin.

Sauf si vous avez passé les dernières années sur une île déserte loin de toute information, vous devez penser que le son est une mine de fibres alimentaires. Et vous avez raison. Il comporte une grande partie des membranes cellulaires qui entourent le grain et contient env. 44 % de fibres — un pourcentage beaucoup plus élevé que celui de n'importe quel aliment. Le son est un sous-produit de la mouture qui fait les farines plus ou moins blanches. Il fait partie des « issues ». C'est d'ailleurs parce que le son est éliminé des farines actuelles que notre alimentation occidentale est devenue pauvre en fibres. La farine blanche, base de nombreux produits, en est pratiquement dépourvue.

Faut-il pour cela rechercher les fibres alimentaires uniquement dans le son ? Le Plan-Fibres ne vous le demande pas. Pour plusieurs raisons. D'une part, le son nature est une substance volumineuse et il est difficile d'en consommer plus de 10 à 15 g par jour sans rendre l'alimentation immangeable — et risquer des ballonnements et autres inconforts. Ensuite, nous avons vu qu'il existe différents types de fibres alimentaires et il reste encore beaucoup à apprendre à leur sujet. Les connaissances médicales progressent en ce qui concerne les rapports fibres-santé, les rapports fibres-perte de poids, mais il semble bien que les différents types de fibres aient chacun leur intérêt. La plupart des fruits apportent relativement peu de fibres alimentaires. A poids égal, ils ne soutiennent pas la comparaison avec des aliments comme les céréales complètes ou les noix. Pourtant ils sont loin d'être négligeables lorsqu'on calcule l'apport de fibres pour un minimum de Calories. A cause des pectines que l'on ne rencontre nulle part ailleurs. D'après les expériences médicales, la présence d'une certaine quantité de pectines dans l'alimentation augmenterait l'élimination de graisses dans les selles. Autant de Calories inutilisées. Ce qui aide à perdre du poids.

Pour toutes ces raisons, que l'on cherche à augmenter sa consommation de fibres pour des raisons générales de santé ou que ce soit pour mieux suivre un régime amaigrissant, la bonne méthode consiste à faire appel à des sources de fibres variées : céréales, légumes, fruits. C'est ce que propose le Plan-Fibres. L'intérêt des fibres faisant encore l'objet de recherches, c'est la meilleure façon de n'omettre aucun de leurs avantages, ceux qui sont déjà bien connus et ceux qu'il faut encore approfondir.

On sait habituellement qu'outre le son, les pains complets et les mélanges du type « muësli(*) » sont de bonnes sources de fibres. En dehors d'eux, il est difficile à la plupart des consommateurs de discerner les aliments à haute teneur en fibres. Pour une raison bien simple. Jusqu'ici, il n'existe pas de table pratique concernant la teneur en fibres des aliments courants. Il faut consulter des ouvrages plus compliqués. Encore ne fournissent-ils guère la répartition entre les différents types de fibres. Enfin, toutes les tables de composition sont rapportées à 100 g d'aliment. Or, pour avoir une idée réaliste de la quantité de fibres qu'un aliment donné est susceptible d'apporter dans l'alimentation quotidienne, il est important de savoir quelle quantité de cet aliment nous sommes susceptibles de consommer habituellement. Et cette quantité varie beaucoup d'un aliment à l'autre.

Un exemple : le persil. Les tables de composition annoncent

(*) - Les muësli sont des mélanges de céréales complètes, fruits frais râpés ou coupés, fruits secs et fruits oléagineux (noix, amandes ...) hachés, consommés avec du lait froid. La première recette, le Bircher-muësli, a été mise au point, au début du siècle, par un hygiéniste suisse, le docteur Bircher.

1,8 % de fibres. C'est donc, semble-t-il, une bonne source. Deux fois plus intéressante, à poids égal, que les pommes ou le chou. Pourtant, même si vous saupoudrez généreusement de persillade votre bifteck ou vos légumes, vous n'en utiliserez guère plus de 10 à 20 g au total. La quantité de fibres ainsi apportée (0,3 g) est trop faible pour être autre chose qu'un petit complément. Alors qu'une portion moyenne de chou cru (100 g environ) apporte 3 g de fibres, une portion de chou cuit (200 à 300 g), 6 à 7 g. Une pomme moyenne (125 g) en contient 1,7 g si on la consomme pelée, près de 3 g si on la consomme avec la peau. Ce sont donc, en réalité, de meilleures sources de fibres que le persil. Les sources intéressantes sont donc des aliments ayant une bonne teneur en fibres et dont on peut, raisonnablement, consommer une certaine quantité sans pour celà augmenter sa consommation calorique lorsqu'on suit un régime amaigrissant. Dans cette optique, les légumes secs (lentilles, haricots, pois cassés) ne manquent pas d'intérêt. Ils contiennent 16 à 25 % de fibres. Une portion moyenne de 60 g n'apporte pas plus de Calories que deux pommes de terre moyennes (200 g, soit 180 Calories) et fournit 15 g de fibres (au lieu de 7 à peine). A peu près deux fois la consommation quotidienne totale — et insuffisante — du Français moyen.

C'est en tenant compte de cette notion essentielle, la « portion moyenne courante » qu'a été établi le tableau des pages 58 à 62. Comme l'étiquetage des prix au litre et au kilo, il devrait permettre de faire une meilleure comparaison entre les différents aliments végétaux.

II

L'IMPORTANTE QUESTION DES CALORIES

Si vous consommez suffisamment d'aliments riches en fibres, vous éliminerez plus facilement des kilos superflus. Il ne faut pas oublier pour autant la question des Calories. Le Plan-Fibres — et c'est un autre atout — prend aussi en compte la consommation énergétique.

Personne n'a jamais pu affirmer sérieusement que, lorsqu'on doit perdre du poids, les Calories ne comptent pas. Car elles comptent. Elles comptent même tellement que leur diminution est l'un des principes de base des régimes amaigrissants. Que mesurent les Calories ? Très exactement la chaleur (voyez, par exemple, les notices de vos appareils de chauffage)(*). Pourtant, pendant longtemps, on a utilisé cette seule unité pour évaluer le besoin énergétique et l'apport des aliments. Depuis 1979, et c'est plus logique, l'unité officielle est l'unité d'énergie du système international, le kilojoule :
1 Cal = 4,184 Kj
1 Kj = 0,239 Cal.

Cependant, pour ne pas trop perturber des notions au demeurant pas toujours très nettes pour les non-spécialistes et pour ne pas compliquer les calculs, on continue, dans la vie courante, à parler de Calories. Comme dans ce livre.

Nous avons besoin de Calories pour faire face aux diverses fonctions de notre organisme et à nos activités. Nous les trouvons dans nos aliments. Tous les aliments fournissent des Calories mais en quantités extrêmement variables.

Il arrive — c'est même fréquent dans les pays industrialisés — que l'on consomme plus de Calories que n'en demande le « fonctionnement de la machine ». Ce supplément est stocké sous forme de graisse : c'est ainsi que naissent les excès de poids. Pour

(*) - Pour les amateurs de définitions exactes, une Calorie est la quantité de chaleur nécessaire pour faire passer 1 litre d'eau de 15 à 16 °C, dans des conditions normales de température extérieure et de pression atmosphérique.

retourner la situation et retrouver la minceur perdue, il est donc ultra-logique de consommer moins de Calories qu'on n'en dépense. Le complément sera pris sur les réserves. Maigrir c'est donc, au sens propre, s'alimenter en partie de l'intérieur, en consommant sa graisse en trop. On pourrait, certes, envisager de se lancer dans une activité physique débordante pour brûler ainsi, chaque jour, beaucoup plus de Calories. C'est possible en théorie, mais toujours très long et pas absolument garanti. Diminuer l'apport énergétique reste donc le principal moyen de perdre le poids superflu.

Tous les bons régimes amaigrissants sont basés sur une réduction bien comprise de l'apport calorique. Pourtant il existe encore beaucoup de confusion à ce sujet par suite de l'apparition de multiples régimes-miracle qui n'en tiennent pas ou qui en tiennent mal compte.

Ainsi le plus célèbre entre eux, le régime sans glucides (ou sans hydrates de carbone) affirme : « ***réduisez seulement et très sévèrement votre consommation de glucides et, pour tout le reste, allez-y à volonté*** » (graisses et alcools inclus). Les spécialistes ont toujours vigoureusement combattu cette façon de maigri à cause des risques d'acidocétose(*) qu'elle fait courir. Aujourd'hui, on lui reproche également de ne pratiquement pas apporter de fibres alimentaires. Pourtant, beaucoup de gens ont réussi à maigrir de cette façon. Et on peut approuver le fait de restreindre les glucides. Mais, malheureusement, les restrictions portent sur tous les glucides sans exception, ceux qui contiennent des fibres et ceux qui n'en contiennent pas, et seulement sur les glucides. Cependant, comme la plupart des habitants des pays industrialisés tirent une grande partie de leurs calories quotidiennes de ce type d'aliments, leur stricte restriction entraîne automatiquement une diminution de l'apport calorique. Elle est suffisante pour entraîner, dans l'immédiat, une perte de poids. Car, bien que les protides, les lipides et l'alcool soient autorisés à volonté, en pratique la plupart

(*) - accumulation dans le sang de corps cétoniques (provenant d'une trop grande proportion de lipides et de protides par rapport à l'apport glucidique) entraînant des troubles toxiques.

de ceux qui suivent ce régime n'en consomment pas beaucoup plus ou, en tout cas, n'augmentent pas assez leur consommation pour rattraper le niveau calorique antérieur.

D'autres régimes demandent de restreindre seulement les graisses. A poids égal, les graisses sont les plus riches en Calories de tous les aliments (1 g de lipides fournit 9 Calories, 1 g de protides ou de glucides, 4 Calories). Une grande partie des aliments hautement énergétiques sont gras et presque tous les repas d'un haut niveau calorique contiennent beaucoup de graisses. Rationner ce type d'aliments restreint fortement l'apport de Calories. En outre, étant donné la forte consommation lipidique dans les pays industrialisés (plus de 42 % de l'apport calorique alors qu'un taux de 30 % est considéré comme correct) et ses répercussions sur la santé (notamment dans la genèse des maladies cardio-vasculaires), cette diminution ne peut être que bénéfique. Mais tant que les aliments autorisés restent hautement raffinés, l'apport de fibres alimentaires reste très inférieur à ce qui est souhaitable.

Que dire enfin de ces « régimes » bizarres qui naissent régulièrement aux USA et selon lesquels on peut manger autant qu'on le désire soit du melon et du poulet, soit des épinards et des prunes, soit du pamplemousse, soit... n'importe quoi. A condition de ne manger que du melon et du poulet, que des épinards et des prunes ou que du pamplemousse, à longueur de journées. Vous avez certainement des amis ou des parents enchantés d'avoir ainsi perdu quelques kilos. Ce qu'ils attribuent, bien sûr, aux vertus magiques des aliments en question. Alors que, en réalité, les pauvres innocents ont tout simplement restreint leur consommation calorique et de la façon la plus draconienne qui soit. Le succès de ces « régimes » est basé sur le dégoût. Il y a une limite aux quantités de pamplemousse, d'épinards, de poulet ou de quoi que ce soit que nous sommes capables de manger et de manger encore. Assez vite on se sent saturé, presque au bord de la nausée, rien qu'à leur évocation.

Les spécialistes de la nutrition savent bien que la variété est un facteur d'appétit. C'est en grande partie parce que notre alimentation d'Occidentaux est variée — et c'est un bien parce que nous sommes ainsi assurés de profiter au maximum des vitamines et minéraux indispensables — que nous sommes tentés de trop manger. Il est étonnant de voir comme il est facile de manger un petit peu trop quand on dispose d'aliments de saveurs et de textures variées — un bon dessert après un bon repas, par exemple. Bien mieux, les poules et les rats eux-mêmes consomment une plus grande quantité de Calories quand on leur propose une alimentation variée au lieu de remplir leurs mangeoires du même identique mélange. Ceux qui ont une alimentation monotone consomment peu de Calories. Dites à quelqu'un de ne consommer qu'un seul type d'aliments et, même s'il choisit le chocolat, il perdra certainement du poids. Mais, de par leur conception même, ces « régimes » sont, d'avance, voués à l'échec. Après un certain temps, la simple vue du seul aliment permis devient désagréable, répugnante même. Et on abandonne. Beaucoup d'entre nous ont fait des expériences de ce type à partir des séances de « gavage » de leur enfance. Mon propre fils, quand il était petit, avait la permission de picorer à volonté dans les planches de fraisiers pendant les séances de « cueillez-les vous-mêmes ». Il savait bien qu'à la différence de celles de notre panier, ces fraises-là ne seraient ni pesées, ni payées. Il a réussi une fois l'exploit de se transformer en mammouth à coup de fraises. Il y a cinq ans de cela et depuis, il n'a jamais pu regarder une fraise en face.

Ainsi, tous les régimes, même ceux que l'on accompagne de piqûres ou de médicaments, n'aboutissent à une perte de poids qu'en réduisant l'apport calorique. Le Plan-Fibres, lui aussi, réduit cet apport. Mais il existe une différence fondamentale avec les autres régimes : il vous fait consommer des aliments plus consistants et il rend « non-engraissantes » quelques-unes des Calories qu'il apporte.

III

LES RAPPORTS CALORIES-FIBRES

Le plus remarquable dans les récentes recherches sur les fibres alimentaires c'est qu'elles ont, jusqu'à un certain point, modifié les bases sur lesquelles on calculait jusqu'ici la perte de poids potentielle.

Il est quasi-impossible de dire à l'avance avec précision quelle sera exactement la perte de poids. Avec un régime identique, elle peut varier de l'un à l'autre à cause de nombreux facteurs individuels comme le nombre de kilos à perdre (plus on est gros, mieux ça démarre) et l'importance de l'activité physique. Néanmoins, en utilisant un calcul simple, on pouvait estimer à peu près la perte de poids possible avec tel ou tel régime. Il s'agissait tout simplement d'une soustraction entre les Calories apportées par le régime et celles nécessitées par les besoins quotidiens.

Par exemple : vous êtes une femme de taille moyenne. Vous avez uniquement des activités ménagères qui n'entraînent que des dépenses modérées. On peut estimer en gros vos besoins à 2 000 Calories par jour. Avec un régime à 1 500 Calories, vous recevez 500 Calories de moins. 500 Calories qu'il vous faut récupérer sur vos réserves de graisse. Comme on a pu estimer qu'un kilo de graisse corporelle libère environ 7 000 Calories, vous pouvez perdre environ 500 g par semaine. Avec un régime plus strict, 1 000 Calories par jour, vous prélevez 500 Calories de plus sur vos réserves et vous pouvez perdre environ 1 kilo par semaine. Les récentes découvertes sur les fibres ont introduit un élément nouveau dans ce calcul.

Comme il est dit plus haut, avec une alimentation riche en fibres, on élimine dans les selles plus de Calories potentielles. Plusieurs expériences l'ont démontré, au cours desquelles on a analysé et comparé les selles de personnes ayant une alimentation riche en fibres et d'autres personnes consommant une alimentation variée, riche en glucides raffinés. On a estimé à 10 % environ l'augmentation du taux des selles en Calories potentielles. Des Calories qui ne sont évidemment pas utilisées par l'organisme. Ce qui signifie que, dans ce cas, l'organisme doit tirer un supplément plus important de ses réserves superflues.

On maigrit plus rapidement avec un régime à 1 000 Calories riche en fibres qu'avec un régime classique à 1 000 Calories.

La perte de poids ne dépend donc plus surtout de la différence entre besoins quotidiens et taux calorique du régime, mais aussi de la nature des aliments choisis pour assurer cet apport(*).

Un bon point en faveur du Plan-Fibres. Mais il y en a d'autres. Ce régime original a d'autres qualités qui permettent de perdre du poids plus facilement, plus rapidement, plus efficacement. Des qualités qui se manifestent dès la première bouchée et qui vont continuer tout au long des processus de digestion et d'assimilation.

(*) - Un certain choix était d'ailleurs déjà nécessaire. On sait depuis une quinzaine d'années qu'un régime amaigrissant doit apporter non seulement moins de calories mais aussi suffisamment de protéines pour préserver le tonus général et musculaire.

IV

L'AIDE DES FIBRES COMMENCE DANS LA BOUCHE

Avant même d'être avalés, les aliments riches en fibres vous aident de plusieurs façons à moins manger. Toute une série de bienfaits-minceur, physiologiques et psychologiques, commencent, en direct, dans la bouche.

On mange plus lentement

Avec des fibres, vous êtes obligé de manger lentement. Cela peut ne pas vous sembler très important à première vue. En réalité, c'est un point capital dans le contrôle du poids. La cadence à laquelle vous mangez n'influe pas seulement, et de façon très nette, sur les quantités que vous absorbez mais — et c'est plus étonnant — elle agit sur le laps de temps qui va s'écouler avant que vous n'ayez à nouveau une impression de faim. L'une des plus intéressantes expériences des dernières années montre justement qu'en mangeant rapidement un repas donné, la faim se fait à nouveau sentir beaucoup plus vite que lorsqu'on prend le temps de savourer un repas strictement identique. Pourquoi ? On ne le sait pas encore très exactement, mais toutes les observations le confirment. Ne sous-estimez donc jamais le rôle de votre « cadence à table » dans l'amaigrissement et le contrôle du poids.

Supposons un groupe assis autour d'un repas. Tous ses membres sont entièrement camouflés sous des sortes de longues et larges tuniques. Malgré cela, un expert observant le comportement des mangeurs a deux moyens pour distinguer les gros et les minces. Première observation : aussi copieux que soit le repas — et il n'y a pas de raison pour que les portions ne soient pas généreuses — quelques-uns consommeront leur part jusqu'à la dernière miette et laisseront une assiette parfaitement « léchée ». Ils font certainement partie des gros. Tout le monde peut d'ailleurs l'observer dans n'importe quel restaurant : les obèses, particulièrement les gros obèses, s'arrêtent rarement de manger avant d'avoir liquidé le contenu de leur assiette. Les minces, au contraire, s'arrêtent habituellement lorsqu'ils n'ont plus faim. Si le repas est du genre copieux, ils déposent assez vite fourchette et couteau et ne terminent pas leur assiette.

Il semble que, chez les obèses, l'absence d'un signal « stop » soit un des problèmes de base. Sans effort ni attention particulière, les minces adaptent leur alimentation aux besoins de leur organisme car ils sont arrêtés en temps voulu par des sortes de messages internes du type : « ***Ça suffit ; j'en ai assez reçu*** ».

« ***Je ne pourrais vraiment pas manger une bouchée de plus*** », affirment-ils. Et ils ne la mangent pas. A l'inverse, les gros semblent enregistrer des « stop » moins nets et moins impératifs. Ce qui fournit à l'expert en comportement à table le principal indice à utiliser dans le jeu « devinez qui sont les gros ? ».

Seconde observation : les obèses mangent plus rapidement. Les enquêtes scientifiques le démontrent invariablement. D'après l'une des plus récentes, il arrive que des gens de poids normal mangent à une allure plutôt rapide au début d'un repas, quand leur faim est à son maximum. Mais cette allure va se ralentir régulièrement au fur et à mesure que le repas s'avance. Dans la même expérience, les obèses continuent à manger à la même allure rapide tout au long du repas. Je vous l'ai dit, regardez autour de vous dans n'importe quel lieu public de restauration : les obèses ont tendance à manger non-stop. A peine sont-ils en train de mastiquer la première bouchée que la suivante est déjà au bout de leur fourchette, prête à être happée à la seconde même où la précédente est avalée.

D'après mes propres observations, en règle générale, plus important est le problème de poids, plus rapide est l'allure à laquelle on mange. Les USA, où il semble que l'on rencontre davantage de très gros obèses qu'ailleurs (par là j'entends ceux qui atteignent à peu près le double de leur poids idéal plutôt que ceux qui ont « seulement » une douzaine de kilos à perdre), offrent un excellent terrain d'observation de ce phénomène du manger-vite. Un jour, assise avec un psychiatre américain spécialiste du comportement à table, j'ai observé un couple d'énormes obèses (tout à fait inconscients de ma curiosité) en train de prendre leur breakfast au restaurant. Ils avaient ramené du buffet en libre-service une montagne d'aliments qu'ils faisaient disparaître à une vitesse supersonique. Le mari, non seulement portait sa fourchette à sa bouche d'un mouvement quasi-discontinu de la main droite, mais de la main gauche, il s'aidait d'un petit pain au lait pour pousser la nourriture dans sa bouche pendant les quelques secondes nécessaires pour recharger ladite fourchette. La mastication était réduite à un strict minimum. Inutile de dire qu'on n'échangeait aucune parole à cette table. Et, pour finir, après avoir mangé l'équivalent d'une demi-douzaine d'œufs brouillés, du bacon, des saucisses et un monceau de petits pains, le couple s'est levé... pour aller regarnir ses assiettes ! L'exemple est caricatural. Mais ceux d'entre nous qui ont des problèmes de poids, même moins importants, se trouveraient bien de manger au pas plutôt qu'au galop. Pour quelques (bonnes) raisons scientifiques.

Une fois la nourriture dans notre bouche, il faut quelques minutes (cinq environ) pour que nous commencions à ressentir physiquement la sensation de calmer notre faim. En mangeant au grand galop et en mastiquant à peine — et les aliments raffinés s'avalent volontiers après quelques brefs coups de dents — on peut avaler en cinq minutes une somme effarante de Calories. Ensuite, tandis que le repas se déroule, l'organisme ressent des signaux de satiété de plus en plus marqués. Mais on estime qu'il faut environ 20 minutes pour avoir vraiment l'impression que l'estomac se remplit et que se manifestent les autres signaux de « ça suffit ». C'est pourquoi les mangeurs galopants, qui font le plein en 10 ou 15 minutes ont, pendant quelques minutes après le repas, l'impression désagréable d'avoir trop mangé. Qui d'entre nous, mince ou gros, n'a jamais, après une de ces festivités comme le réveillon auxquelles il est difficile de résister, gémi « ***je n'aurais pas dû manger autant*** » tout en frottant un estomac ballonné et en partant d'un pas mal assuré à la recherche de quelque pastille « pour digérer ».

« ***Mangez plus lentement !*** ». C'est l'un des conseils classiques à ceux qui ont un problème de poids. Si vous avez déjà mené la guerre à la brioche vous l'avez certainement lu quelque part. Peut-être même avez-vous essayé et... « rechuté » ou abandonné après un temps d'essai. C'est que l'allure à laquelle nous mangeons est une habitude profondément ancrée en nous et qu'il est très difficile de rompre avec ce genre d'habitudes. Si on vous conseillait de parler plus lentement, il vous faudrait probablement des mois d'efforts, d'efforts consciencieux et répétés, avant de réussir à parler avec un autre débit. Transformer votre accent demanderait des efforts similaires. Ralentir le rythme auquel on mange n'est pas facile et demande un effort aussi sérieux et aussi prolongé. Et c'est là qu'un régime riche en fibres va, en premier lieu, vous aider à manger moins. Il ralentit automatiquement l'allure. Parce que des aliments végétaux entiers, non dépouillés de leurs fibres d'origine, ça tient de la place. On s'offre un important volume de nourriture pour un apport calorique modéré. En outre, comme il faut mastiquer nettement plus, cela prend aussi nettement plus de temps. Comparons, par exemple, les pommes et le jus de pomme.

A l'analyse, les pommes sont un mélange d'eau, de fructose, de fibres alimentaires et de petites quantités de vitamines et de minéraux. Seul le fructose, un sucre, fournit des Calories. En mangeant à la suite cinq ou six pommes de taille moyenne, on aboutit au total de 100 g de sucre. Vous pouvez facilement vous représenter le temps nécessaire et vos difficultés à vous mettre à table de bon appétit aussitôt après.

Si on élimine les fibres, la pomme devient jus de pomme. Sous cette forme, en quatre verres, on consomme les mêmes quantités de sucre et de Calories qu'avec les cinq ou six pommes ci-dessus. Assez vite et sans que cela modifie beaucoup notre appétit.

Cette constatation vaut pour tous les aliments. Les fibres alimentaires qui ne fournissent pas de Calories ont un effet général de « ballast », amenant à manger plus lentement et moins. Mais leur texture autant que leur volume aident par ailleurs les aliments riches en fibres à appuyer sur le frein.

On mastique plus soigneusement

Le plaisir de manger provient en grande partie des saveurs. Dans les aliments non raffinés dont les fibres n'ont pas été éliminées, les éléments gustatifs semblent rester intacts à l'abri des membranes cellulaires toujours présentes. C'est pourquoi la saveur d'un aliment non raffiné n'est pleinement appréciée que s'il est correctement mastiqué. C'est peut-être l'une des raisons qui conduisent à mâcher automatiquement les aliments riches en fibres plus complètement que les aliments raffinés.

Autre raison pour laquelle les aliments riches en fibres se mangent plus lentement et se mastiquent davantage : il est impossible de les avaler sans quelque difficulté tant qu'ils n'ont pas été attendris et humectés. Secs et durs, nous les mastiquons jusqu'à ce qu'ils aient atteint la texture optimale pour déglutir. Ainsi les fruits et les légumes riches en fibres, les noix, les céréales à petit déjeuner demandent une bonne dose de coups de dents avant de pouvoir être avalés. Durant cette mastication prolongée, on sécrète plus de salive, ce qui augmente le volume de la bouchée, nécessite encore un peu plus de mastication et entraîne une déglutition plus marquée. La cuisson, particulièrement la cuisson à l'eau. diminue mais ne supprime pas la fermeté d'un aliment.

Diverses expériences confirment cette action bénéfique des fibres alimentaires. Celle-ci notamment qui compare deux groupes. Le premier mange du pain complet qui contient 8,5 % de fibres ; le second la même quantité de pain blanc lequel contient seulement 2,7 % de fibres. Il faut 34 minutes au groupe pain blanc pour terminer son « repas », 45 minutes au groupe pain complet, soit 11 minutes de plus.

Les signaux de satiété sont plus nombreux

Il est probable, en effet, que la mastication et la déglutition déclenchent des « messages » vers le cerveau. Tous, que nous soyons trop gros ou que nous soyons minces, nous possédons des systèmes de régulation interne qui limitent notre capacité à manger. Sans cela, bien des gens seraient capables de manger jusqu'à en crever. (En fait, on a rencontré des troubles de ce genre au cours des dernières années).

Mais, chez un gros, ces systèmes sont moins efficaces que chez un mince. Les principaux mécanismes de contrôle semblent être l'état de remplissage de l'estomac, le taux de sucre sanguin (glycémie) et un centre de la faim et de la satiété situé dans l'hypothalamus (région du cerveau se trouvant au-dessus de l'hypophyse) et nommé « pondérostat ». Au cours d'expériences sur le rat, on a remarqué une activité électrique augmentée dans ce centre de la satiété pendant la mastication et la déglutition. Celles-ci commencent donc bien à déclencher les mécanismes internes de contrôle en envoyant les premiers signaux de satiété au cerveau. Et il est vraisemblable que plus nous mastiquons et plus nous déglutissons vigoureusement, plus ces signaux sont efficaces.

Et on a aussi des satisfactions psychologiques

Mastiquer procure une satisfaction indubitable. Dans certaines expériences scientifiques, on a remarqué que le simple fait de mâcher du chewing-gum procure une certaine détente. Les psychiatres qui s'intéressent aux problèmes de poids ont découvert que, pour ne plus avoir faim, nous avons besoin de trouver dans la nourriture un « remplissage » psychologique aussi bien qu'un « remplissage » physique. Quand on mange tout en étant mentalement absorbé par autre chose — par exemple une mère qui picore son propre dîner entre deux bouchées données à son bébé ou un télespectateur totalement impliqué dans les dernières sales combines de J.R. — la faim n'est pas vraiment satisfaite. Souvent, une fois le bébé couché, la mère s'asseoit pour prendre un nouveau repas ; le « dallasophile » va chercher un « petit quelque chose » une fois l'épisode terminé.

Il semble que nous ayons besoin de trouver dans nos aliments un certain niveau de détente et de plaisir. Ce qui, bien sûr, se produit surtout dans la bouche, pendant que nous « goûtons ». Pas étonnant si, après un repas composé surtout d'aliments raffinés, avalé en un rien de temps, on a envie de reprendre quelque chose ou si, peu de temps après, on ressent une « petite faim » qui nous pousse à une petite collation. Ces suppléments nous permettent d'atteindre le niveau nécessaire de plaisir alimentaire quotidien.

V

LES FIBRES, ÇA « CALE »... ET POUR LONGTEMPS

Dans notre tube digestif, les fibres alimentaires se conduisent comme des éponges et se gonflent d'eau. Ainsi, les fibres du son peuvent retenir 4 fois leur poids de liquide, celles des fruits 2 à 3 fois, celles de la chair des pommes de terre, les 2/3 de leur poids. Cela fait du volume, beaucoup de volume et l'estomac est ainsi mieux « rempli » qu'avec d'autres denrées.

Or un estomac plus ou moins plein cela retentit directement sur l'appétit. C'est la raison pour laquelle, pour éviter la sensation de faim dans les régimes amaigrissants, on a longtemps utilisé — on utilise parfois encore — diverses substances, comme les mucilages, qui gonflent dans l'estomac. Ces substances ne sont cependant pas sans inconvénients. Assez peu agréables à manger, elles collent au palais et aux dents et il est parfois difficile d'en consommer suffisamment pour obtenir l'effet souhaité sur le volume contenu dans l'estomac. Mais un fait est certain : lorsque Derek Miller et le Dr Elizabeth Evans, au cours d'un test à l'Université de Londres, ont ajouté 20 g de cellulose à l'alimentation quotidienne d'un groupe de sujets, ceux-ci ont automatiquement réduit leur consommation calorique, sans faire aucun effort pour cela. Ce qui montre, à l'évidence, que consommer assez de cellulose peut vous aider à moins manger.

Le volume important qu'occupe dans l'estomac une alimentation riche en fibres explique en partie pourquoi vous vous sentez plus vite rassasié tout en mangeant moins. Mais ce n'est pas la seule raison. Les aliments riches en fibres séjournent plus longtemps dans l'estomac que des aliments du même type dont les fibres ont été éliminées. Il faut au suc gastrique un temps plus long pour atteindre sa cible au milieu de ces substances, pour lui inattaquables. Pourtant, malgré ce séjour prolongé, les aliments semblent digérés de façon moins efficace. A première vue, cette dernière constatation peut sembler moins intéressante. Elle n'en intervient pas moins dans la réduction de notre consommation calorique. Les fibres, par elles-mêmes, sont totalement indigestibles et ne fournissent pas de Calories. On n'en tient d'ailleurs pas compte lorsqu'on calcule l'apport calorique provenant des glucides. En outre, il est tout à fait probable que quelques-uns des fournisseurs de Calories qui leur sont associés ne sont pas mieux digérés qu'elles. Ce qui explique le nombre de Calories potentielles qu'éliminent en réalité dans leurs selles les mangeurs de fibres.

Trois raisons par conséquent pour que le Plan-Fibres vous aide à maigrir :

— son volume remplit mieux votre estomac, pour un temps plus long, tout en empêchant à une partie des Calories que vous absorbez de vous fournir un supplément de graisse de réserve.

Dernier avantage : il évite ces « petits creux » désagréables qui poussent aux grignotages. Dans un estomac vide, le suc gastrique, acide, amène des sensations de brûlure, inconfortables, qui vous conduisent vite à manger n'importe quoi pour les faire disparaître. Les aliments riches en fibres, en « occupant » le suc gastrique pendant un bon moment mettent à l'abri de cet épisode gênant.

Lent à passer l'estomac, le bol alimentaire riche en fibres accélère son allure dès qu'il l'a quitté. Ce qui n'est pas moins bénéfique. En fait, les aliments riches en fibres demeurent longtemps là où cela nous est utile — c'est le cas de l'estomac — et accélèrent le transit là où nous en avons besoin : dans l'intestin.

VI

TOUJOURS FAIM ? IMPOSSIBLE AVEC LES FIBRES

Les glucides en général et les sucres d'utilisation rapide en particulier tirent leur réputation d'aliments « engraissants » d'un phénomène connu des spécialistes sous le nom d'hypoglycémie secondaire. Ce que la sagesse populaire énonce plus simplement en disant : « le sucre appelle le sucre ». Et ce qui s'explique très logiquement sur le plan physiologique.

Au cours de la digestion, nos aliments sont divisés en principes nutritifs simples, ceux que nos cellules peuvent utiliser. Une grande partie d'entre eux, comme le glucose, étape finale de la digestion des glucides, sont véhiculés par le sang. Une glycémie (taux de sucre, ou plutôt de glucose, dans le sang) correcte est indispensable au bon déroulement de nos activités physiques et intellectuelles. Et nous avons très vite une idée de nos besoins dans ce domaine. Dès que la glycémie descend par trop en-dessous du taux normal, le cerveau, comme un central d'ordinateur, programme « j'ai faim ». Le taux de la glycémie est donc l'un des principaux facteurs qui déclenchent l'envie de manger. Quand elle est suffisante, voire élevée, nous n'avons pas faim ; quand elle est trop basse, nous n'y tenons plus, nous pouvons même être victimes de malaises.

Tous les glucides, les sucres comme les amidons, sont transformés en glucose et participent au taux de sucre sanguin. Il existe cependant une différence. Certains sucres, dits « à utilisation rapide » parce que vite transformés (sucre, confiture, miel, fructose des fruits...) font monter plus rapidement la glycémie. Après un repas très sucré, la glycémie grimpe vite, ce qui pourrait sembler une bonne façon de calmer son appétit. Et, effectivement, manger par exemple un morceau de sucre ou un bonbon calme la faim dans l'immédiat. Mais il y a le revers de la médaille.

Toutes nos fonctions physiologiques sont soumises à des mécanismes de régulation extrêmement précis. C'est ainsi que nous éliminons une quantité adéquate de l'eau que nous buvons ou du sel consommé en trop (et la plupart d'entre nous consomment dix fois trop de sel). La glycémie s'élève au moment de la digestion. Mais si elle devait s'élever encore et encore, notre sang serait totalement saturé, ce qui serait dangereux. C'est pourquoi un mécanisme de contrôle fait baisser la glycémie lorsqu'elle dépasse le taux convenable. Grâce à l'insuline. Quand la glycémie monte en flèche, le pancréas s'active et sécrète une certaine quantité d'insuline pour contrôler la situation. La glycémie s'abaisse. Tout va bien pendant une heure ou un peu plus. Mais, au bout de deux heures environ, l'excès d'insuline (et plus la glycémie s'est élevée plus il y a d'insuline en circulation) risque d'avoir un effet désastreux pour celui qui cherche à contrôler son appétit et sa consommation alimentaire. Car, très souvent, la glycémie s'abaisse non pas au niveau qui était le sien avant le repas, mais ***bien au-dessous***. Plus la glycémie s'est élevée, plus elle va s'abaisser. C'est cela l'hypoglycémie secondaire.

C'est en partie à cause de ce phénomène que, pendant des années, les spécialistes ont fortement déconseillé les glucides aux obèses. Tous les glucides, accusés sans distinction de causer cette faim réactionnelle qui conduit à toujours trop manger. Au point qu'on se sentait coupables rien qu'à regarder une tranche de pain ou une pomme de terre.

Des recherches plus récentes ont montré que seuls certains aliments glucidiques ont cet effet. Pas les autres. Il n'est pas difficile de deviner que ce sont les sucres à utilisation rapide qui occasionnent cette hypoglycémie secondaire et la faim réactionnelle. Les amidons, grosses molécules que les enzymes digestives ne transforment que lentement en glucose, entraînent seulement une augmentation progressive et modérée de la glycémie. Celle-ci ne chutera ensuite que lentement et modérément. La présence simultanée d'aliments protéiques dans le repas modère encore le processus. Il en est de même des fibres à cause de leur coup de frein sur les premières étapes de la digestion. Encore une raison pour ne pas se sentir toujours affamé lorsqu'on consomme des aliments riches en fibres. Plusieurs expériences ont d'ailleurs démontré que la consommation d'une quantité suffisante de fibres ralentit la sécrétion d'insuline et ses conséquences : l'hypoglycémie secondaire, la faim réactionnelle et les grignotages qui s'ensuivent.

VII

LES FIBRES ESCAMOTENT DES CALORIES

Dès que le bol alimentaire provenant d'un repas riche en fibres quitte l'estomac, après un long séjour, le transit s'accélère. Ce qui évite la constipation si fréquente aujourd'hui et qui provient le plus souvent d'une consommation de fibres insuffisante. Divers travaux scientifiques montrent que ce transit plus rapide et plus énergique est, sans doute, un bon moyen de prévenir plusieurs maladies intestinales, peut-être même le cancer du côlon. Quand les selles sont finalement éliminées, elles contiennent plus d'éléments susceptibles de fournir des Calories qu'avec l'alimentation à base d'amidons raffinés courante dans les pays industrialisés.

Heureusement pour ceux d'entre nous qui ont tendance à trop manger, toutes les Calories que nous avalons ne servent pas à fournir de l'énergie ou à renforcer un stock de graisse. Il y a une perte de 5 % environ. Parce que certains principes nutritifs, comme les protides, demandent pour être utilisés plus de Calories qu'ils n'en apportent (c'est ce qu'on appelle l'Action Dynamique Spécifique). Et parce que chaque repas entraîne une petite dépense (75 à 125 Calories). Mais, les tests le montrent bien, les fibres augmentent encore ce « gaspillage ». Et plus on en consomme, plus il y a de Calories perdues. L'un de ces tests consistait à augmenter de 10 g par jour la consommation de fibres en ajoutant fruits, légumes et pain complet à l'alimentation habituelle. Le nombre de Calories potentielles éliminées a augmenté de 90. Avec encore plus de fibres (32 g par jour), les selles contenaient en moyenne 210 Calories non utilisées. Précisons que les sujets testés mangeaient beaucoup et ne cherchaient pas à perdre du poids.

Quelle est l'origine de ces Calories ?

Les tables de composition indiquent seulement les Calories glucidiques disponibles, les Calories non digestibles des parois cellulaires végétales n'étant pas retenues. Cependant, outre ces fibres non digérées, les selles contiennent aussi des glucides assimilables, des graisses, des protéines, qui auraient pu être « brûlés ». Dans l'état actuel des recherches, on ne peut vraiment expliquer ce phénomène. Mais une digestion incomplète en est probablement la cause.

Si vous avez pris la décision de diminuer votre consommation calorique pour perdre du poids, chaque Calorie compte. Ou, plus exactement, chaque Calorie que votre organisme ne pourra pas utiliser. Lorsqu'un régime classique à 1000 Calories est composé de protéines, de lipides (graisses) et de glucides raffinés, ces 1000 Calories sont utilisées au maximum. Vous perdrez certainement du poids, mais lentement. Si vous utilisez dans ce régime un maximum d'aliments riches en fibres, légumes, fruits, céréales complètes, une partie de ces 1000 Calories ne sera pas employée et vous perdrez du poids plus rapidement.

Le double but des régimes amaigrissants est de rendre à la fois plus mince et plus en forme : personne n'a jamais souhaité être mince et malade. Aujourd'hui, les organismes officiels intéressés

par la Nutrition dans les pays industrialisés recommandent de manger moins de graisses, moins de sucre et plus de fibres alimentaires. C'est précisément ce que vous fait faire le Plan-Fibres.

VIII

LES CALORIES : A COMBIEN POUVEZ-VOUS DIMINUER ?

La faim ? C'est un problème pratiquement inconnu avec le Plan-Fibres, même si vous diminuez nettement votre consommation calorique actuelle. Cela ne veut pas dire que vous pourrez impunément succomber à une plaque de chocolat ou à un cornet de frites mais que vous pourrez leur résister plus facilement. Les Calories que vous allez consommer proviennent d'aliments-ballast, qui « calent » bien. Votre appétit ne se réveillera pas à tout bout de champ pour mettre votre volonté à rude épreuve.

Nous vivons dans un monde où les tentations alimentaires fleurissent autour de nous. Elles explosent dans les publicités télévisées, s'étalent dans la corbeille des ouvreuses au cinéma, envahissent n'importe quelle boutique. Dans le monde occidental, à moins de rester assis dans un canot au milieu de l'Atlantique, il est totalement impossible d'être hors de la vue d'une nourriture quelconque. Et même dans ce cas, il est vraisemblable que vous serez secouru par un paquebot de passage, à bord duquel on vous bourrera de bonnes choses pour vous faire oublier l'ennui de l'interminable vision de la mer.

Dans notre société, la nourriture ne sert pas seulement à satisfaire la faim. Elle sert à se consoler, à se faire plaisir, à recevoir, à célébrer n'importe quoi, à passer le temps, à séduire... entre autres. Mais, quand on n'a pas faim, on est moins vulnérable aux tentations. On a d'ailleurs remarqué que les femmes qui font leurs courses juste avant de manger remplissent leur caddy beaucoup plus copieusement que lorsqu'elles font leurs achats après le repas, quand elles n'ont plus faim du tout. Les responsables de supermarchés qui cherchent toujours à nous vendre davantage seraient bien avisés de faire une remise spéciale sur les achats d'avant déjeuner.

Quand vous mangez beaucoup de fibres, votre consommation calorique se trouve limitée, même si vous ne cherchez pas à perdre du poids. Une récente étude l'a montré clairement. On a demandé à un groupe de plusieurs personnes de manger chaque jour une livre de pommes de terre cuites dans leur peau en plus de tout ce qu'elles avaient par ailleurs prévu de manger. En ajoutant ces pommes de terre, aliments volumineux et d'un apport de fibres raisonnable, tout le monde avait perdu du poids au bout de trois mois. Les pommes de terre bourraient tellement qu'elles ne laissaient pas beaucoup de place pour tout le reste. Spectaculaire ! Mais il serait faux de prétendre que, pour régler la question de vos kilos superflus, il suffit d'ajouter à votre alimentation actuelle suffisamment d'aliments riches en fibres, ni même de remplacer les glucides raffinés par des aliments riches en fibres comme le pain complet. Dans l'avenir, quand vous serez redevenu mince, cette substitution d'aliments riches en fibres à des aliments raffinés vous permettra de rester au bon poids. Surtout si vous diminuez aussi votre consommation de graisses. La minceur naturelle des habitants du Tiers-Monde (ceux du moins qui ont de la nourriture en suffisance) dont l'alimentation est riche en fibres en est le témoin. Les préférences alimentaires découlent en grande partie de l'habitude : si vous prenez celle de choisir des aliments riches en fibres vous en viendrez peu à peu à les préférer.

Cependant, la plupart de ceux qui veulent perdre du poids cherchent aussi à le perdre le plus rapidement possible. A dire vrai, ils voudraient bien perdre dix kilos du jour au lendemain ! C'est une attitude bien compréhensible. Et les spécialistes qui continuent à nous conseiller la lenteur : « une livre par semaine, ça suffit », ne sont pas très psychologues.

Le Plan-Fibres demande moins d'efforts que tous les régimes amaigrissants que vous avez pu suivre jusqu'ici. Mais tous les régimes amaigrissants — y compris le Plan-Fibres — demandent un certain degré d'application et de maîtrise de soi. Dans ce domaine comme dans tous les autres, pour soutenir l'effort, il nous faut une récompense et, si possible, une récompense à court terme plutôt qu'une médaille d'or superbe, mais lointaine. La récompense essentielle est la perte de poids hebdomadaire. Dans la vie, peu de joies sont comparables à celles que procurent l'aiguille qui descent les graduations de la balance et la découverte que le poids de cette semaine est nettement inférieur à celui de la semaine dernière. Quelques misérables centaines de grammes se remarquent à peine. Et tous les habitués du régime savent très bien comme ils trichent avec leur pèse-personne. En changeant un petit peu de posture, en ne se pesant que juste après avoir vidé leur vessie, en enlevant leur dentier et autres astuces... Mais oui ! Et ne pensez pas que cela ne vous arrivera jamais ! Une perte de poids visible, au moins 1 kilo par semaine, est nécessaire. C'est la récompense indispensable pour soutenir l'effort. A ce niveau-là, on ne triche pas avec la balance. Dans l'amaigrissement, la réussite entraîne la réussite, l'échec amène l'échec. Tous les animateurs de clubs d'amaigrissement le savent bien. C'est le participant qui enregistre une bonne perte de poids à la pesée hebdomadaire qui va poursuivre le mieux son régime. Et il reviendra la semaine prochaine. Celui qui enregistre une perte de poids peu satisfaisante est désappointé et tout à fait susceptible de laisser tomber. Dans un régime, les « ratés » ne nous conduisent pas à être plus stricts mais, habituellement, à abandonner.

Dans le Plan-Fibres, on recherche une perte de poids hebdomadaire de l'ordre de 1 kilo à 1,5 kilo. Une perte qui peut être plus importante surtout pour un homme ou pour quelqu'un de vraiment très gros. Essayer de descendre davantage serait aussi démoralisant qu'une perte de poids trop lente. C'est pourquoi il faut avoir une attitude restrictive, sans plus.

Avec le Plan-Fibres, les Calories sont consommées dans des aliments « bourratifs » et votre organisme en gaspillera plus qu'avec un autre régime amaigrissant. Respectez les taux caloriques recommandés pour maigrir. Grâce au Plan-Fibres cela se passera mieux et plus vite. Mais n'essayez pas de manger encore moins que dans ces régimes classiques. A vouloir trop en faire, on risque souvent d'abandonner. Le régime facile c'est celui qui réussit parce qu'on peut le continuer jusqu'au résultat : la minceur.

Pour maigrir avec le Plan-Fibres, accordez-vous un maximum de 1500 Calories par jour et un minimum absolu de 1000 Calories. Vous pouvez établir votre consommation quotidienne entre ces deux limites. Les recommandations suivantes vous aideront à déterminer votre « ration » calorique idéale.

- **Accordez-vous 1500 Calories par jour :**

— Si vous êtes un homme de gabarit moyen et si vous avez plus de 6 kilos à perdre. Le besoin calorique des hommes est plus élevé que celui des femmes. Ils peuvent ainsi perdre du poids avec des régimes plus larges et enregistrent généralement d'importantes pertes de poids hebdomadaires. Question de métabolisme. C'est injuste, mais aucun mouvement féministe ne pourra jamais rien y changer !

— Si vous êtes une femme, avec au moins 10 kilos à perdre. Mais uniquement si vous commencez tout juste à vouloir maigrir. Pas si vous êtes déjà en train de suivre un régime amaigrissant avec lequel vous avez déjà perdu quelques kilos. Plus on est gros, plus vite le régime fait perdre les kilos superflus. Le nombre de kilos éliminés en moyenne diminue au fur et à mesure qu'on perd du poids. Le métabolisme s'ajuste au régime jusqu'à un certain point. Alors, si vous avez un bon stock de kilos à perdre, mieux vaut ne pas trop réduire l'apport calorique dans les premiers temps. Commencez à 1500 Calories par jour et vous diminuerez peu à peu jusqu'à 1000 Calories, ce qui maintiendra une perte de poids régulière.

- **Accordez-vous 1000 Calories par jour :**

— Si vous êtes un homme pas très grand avec seulement quelques kilos à perdre et si vous avez très envie de les perdre rapidement.
— Si vous êtes une femme et si vous avez 6 ou 7 kilos à perdre ou moins.
— Si vous êtes une femme avec plus de 8 à 10 kilos superflus et si vous avez déjà commencé un régime amaigrissant et perdu ainsi 5, 6 kilos ou davantage.

- **Maintenez-vous entre 1000 et 1500 Calories par jour**

en tenant compte des points suivants :

On perd du poids plus rapidement quand :
— on est un homme ;
— on a beaucoup de kilos à perdre ;
— on est au début d'un programme-minceur et non pas à un palier à mi-parcours ;
— on a l'habitude de manger généreusement (plus gros mangeur vous avez été, plus l'impact du régime amaigrissant sera important) ;
— on a des occupations qui entraînent une grande activité physique (malheureusement, le travail ménager ne va pas loin dans ce domaine à notre époque d'équipement moderne) ou qu'on pratique régulièrement un sport ou qu'on fait beaucoup de marche

(c'est-à-dire plus de 10 minutes par jour !).

On perd du poids moins rapidement quand :

— on est une femme ;

— on a seulement 2 ou 3 kilos à perdre ;

— on est en fin de parcours d'un régime amaigrissant. Les derniers kilos sont souvent les plus accrochés. Mais le Plan-Fibres vous aidera ;

— on n'a pas habituellement un gros appétit (ce qui explique d'ailleurs que vous n'ayez pas beaucoup de poids à perdre et que vous ayez mis longtemps à l'amasser) et que tout le monde pense que « vous ne mangez rien » ;

— on est sédentaire. Ce qui ne signifie pas seulement avoir un travail sédentaire mais concerne tous ceux qui limitent leurs mouvements au strict minimum. Par exemple, ceux qui appellent les enfants pour apporter quelque chose au lieu d'aller le chercher eux-mêmes, ceux qui prennent l'ascenseur même pour monter au premier étage au lieu d'emprunter l'escalier, ceux qui font six fois le tour du parking pour trouver une place près de la sortie au lieu de marcher 2 minutes. Le total de tous ces petits mouvements fait une grande différence dans le besoin calorique et détermine une grande variété dans nos besoins individuels. Ceux qui bougent beaucoup sont souvent décrits comme « nerveux ». Ce n'est pas la prétendue nervosité qui brûle des Calories mais l'activité physique. Les gens toujours en mouvement sont habituellement minces. Pour déterminer l'apport calorique qui vous fera maigrir, n'oubliez pas de tenir compte des Calories que vous buvez autant que de celles que vous mangez. Nous en reparlerons plus loin.

IX

LES FIBRES : JUSQU'OU POUVEZ-VOUS ALLER ?

Bien qu'aucune statistique sur la consommation de fibres n'ait été établie en Grande-Bretagne depuis 1919, le Collège Royal de Médecine estime qu'elle a diminué de moitié. Des constatations analogues sont faites dans les autres pays industrialisés d'Europe et d'Amérique du Nord.

L'alimentation est très différente de celle du début du siècle. La révolution industrielle et ses possibilités techniques ont rendu quotidiens les aliments raffinés, notamment les céréales et leurs dérivés. On considère que notre consommation de fibres céréalières n'est plus que *le dixième* de ce qu'elle était au début du siècle. La consommation plus importante de fruits et de légumes ne permet pas de combler ce déficit. Aujourd'hui, dans nos pays, ***la consommation moyenne de fibres n'est que de quelques grammes par jour au maximum.*** Elle est toujours importante dans les pays en voie de développement.

Beaucoup d'experts estiment que cette consommation élevée est en relation étroite avec le fait que les principales maladies mortelles du monde occidental, comme les maladies cardiaques ou le cancer du côlon, sont pratiquement inconnues dans ces sociétés de mangeurs de fibres. L'obésité pas davantage.

Selon les techniques de dosage employées, la mesure du contenu en fibres de l'alimentation est très variable. La principale méthode (méthode de Weende) ne tient compte que de la teneur brute en fibres ne retenant qu'une partie de la cellulose et de la lignine. C'est elle qui est habituellement employée pour établir les tables de composition. Mais la consommation réelle (ce qu'on appelle le résidu fibreux) est 2 à 4 fois plus importante.

Deux exemples : la farine complète apporte 2 % de fibres brutes mais 9,5 % de résidu fibreux ; le son 10 à 14 % de fibres brutes mais 44 % de résidu fibreux.

Dans les légumes, la différence est un peu moins marquée : 1 % de fibres brutes, 2 à 4 % de résidu fibreux. Font exception les petits pois (2 % de fibres brutes et 6 % de résidu fibreux) et les pommes de terre (0,4 % de fibres brutes et 3,5 % de résidu fibreux). Les fruits contiennent, en moyenne, moins de 1 % de fibres brutes et 1 à 3 % de résidu fibreux (*).

Ainsi, peut-être ne mangez-vous même pas les quantités de fibres ci-dessus car les variations individuelles sont grandes. Si vous êtes trop gros(se), vous faites très probablement partie des petits consommateurs de fibres alimentaires. Des enquêtes ont montré que la plupart de ceux qui surveillent leur poids, fidèles au « supprimez les glucides » dont on les a abreuvés pendant des années, évitent le pain et les pommes de terre qui sont de bonnes sources de fibres. Les idées fausses ont la vie dure ! En vous embarquant pour le Plan-Fibres, vous serez peut-être obligés de vous convaincre vous-même que les vertus des régimes fortement restreints en glucides ne sont pas aussi évidentes que cela. Les spécialistes ne sont plus d'accord sur ce type de régime — en particulier à cause de ses limites sur la consommation de céréales, fruits et légumes crus. Le pain — ***s'il est entier ou enrichi en son*** — et même les pommes de terre (avec leur peau) ne sont plus considérés comme les pires ennemis de la santé et de la minceur. Les corps gras et le sucre sont bien pires. Si on veut bien y réfléchir, le régime une fois achevé, pourriez-vous rester définitivement mince s'il vous fallait en permanence faire la guerre aux glucides ?

Quand vous suivez les recettes du Plan-Fibres, vous augmentez considérablement votre consommation quotidienne de fibres alimentaires, sans vous ennuyer à calculer combien de grammes vous consommez. Avec un mélange de type muësli, le « Fibre + », à inclure obligatoirement dans votre régime, et un fruit cru, vous consommez déjà, chaque jour, autant de fibres que la moyenne des habitants des pays industrialisés. Toutes les recettes parmi lesquelles vous pouvez choisir ont été spécialement établies pour vous apporter un supplément important de fibres. Vous arriverez ainsi facilement à consommer 30 à 35 g de fibres (résidu fibreux), même avec 1000 Calories par jour. Et jusqu'à 50 g (ce qu'il faut considérer comme un maximum) avec 1500 Calories.

La teneur en fibres des recettes que vous trouverez plus loin a

(*) - Southgate - 1976

été calculée — aussi bien que le permettent les remarques ci-dessus et les variations individuelles entre deux aliments du même type. Ne vous inquiétez pas de quelques variations peu importantes d'un jour à l'autre et ne cherchez pas à obtenir des chiffres d'une précision absolue.

Etablissez simplement vos menus pour ne pas dépasser le taux calorique tout en consommant, suivant les cas, entre 30 et 50 g de fibres par jour.

X

QUE BOIRE ? ET COMBIEN ?

Avec le Plan-Fibres, il faut boire largement : 1,5 l de liquide par jour, au moins. Pour que les fibres puissent jouer pleinement leur rôle d'éponge. L'un des buts de ce régime est d'apporter un important bol alimentaire semi-fluide dans l'estomac et de produire des selles plus volumineuses et plus faciles. Pour cela, il faut apporter, consommer du liquide parallèlement aux fibres. Mais il faut s'adresser surtout aux boissons qui n'apportent pas de Calories. Les autres doivent être restreintes au même titre que les aliments solides.

Le seul liquide acalorique est l'eau : c'est le seul que l'on puisse consommer à volonté. L'eau n'a aucune action sur la formation de graisse corporelle. L'excès de poids est fait de graisse, pas d'eau. Quand on maigrit, c'est de la graisse qu'on élimine, pas de l'eau. Boire suffisamment aide même à maigrir. La croyance à une « obésité par rétention d'eau » (celle-ci n'intervient que dans des troubles particuliers, graves et rares, qui n'ont rien à voir avec l'excès de poids) reste cependant l'un des mythes les plus solides dans ce domaine. Autre croyance qui a la vie dure : la nécessité de ne pas boire au cours des repas. Boire à table ne fait pas grossir. A condition que les boissons consommées n'apportent pas de Calories. Boire en mangeant peut même être un bon moyen de maigrir plus facilement. Car on peut ainsi prolonger le temps nécessaire pour consommer un repas riche en fibres.

La bonne technique : poser couteau et fourchette pour avaler une ou deux gorgées d'eau après avoir bien mâché et complètement avalé quelques bouchées. La mauvaise façon de boire en mangeant est de se servir de la boisson pour pousser à grande eau les aliments dans l'œsophage avant de les avoir vraiment avalés. De cette façon, on accélère l'ingestion d'aliments au lieu de la ralentir.

Pourquoi faut-il restreindre la consommation de boissons qui apportent des Calories ? Parce que, plus encore que les sucres à utilisation rapide, elles interviennent dans presque tous les processus de faim à l'opposé des aliments riches en fibres.

Alors que ces derniers sont mâchés lentement, les boissons caloriques, qui ne se mastiquent pas du tout, sont avalées en quelques secondes. Les aliments riches en fibres remplissent longtemps l'estomac et leurs Calories ne sont libérées que peu à peu ; les liquides traversent l'estomac à toute allure et leurs Calories sont utilisables encore plus vite que celles des aliments sans fibres. En observant le comportement alimentaire, on s'aperçoit qu'il est possible d'avaler un large total calorique sous forme de liquide sans que cela diminue de façon notable l'appétit pour les aliments solides.

Le lait

Vous pouvez en consommer largement à condition qu'il s'agisse de lait ***écrémé***. Un tiers à un demi-litre par jour sont indispensables à l'équilibre nutritionnel. Le lait, écrémé ou non, est, en particulier, une importante source de calcium (celui-ci n'est fourni en quantités suffisantes que par les produits laitiers). Or, dans les régimes riches en fibres, une partie du calcium apporté par l'alimentation n'est pas absorbée. Il ne semble pas que, jusqu'ici, on ait noté de la sorte des troubles particuliers. Mais mieux vaut prévoir et consommer largement ce nutriment essentiel. Le lait n'est pas exactement une boisson mais plutôt un aliment de forme liquide qui accompagne les céréales du petit déjeuner et entre dans un grand nombre de recettes. Un tiers de litre de lait contient 10 g de protéines et 360 mg de calcium. Sous forme écrémée, il apporte seulement 100 Calories ; deux fois plus s'il est entier à cause de sa teneur en lipides. Aujourd'hui, on trouve du lait écrémé partout, chez le laitier, le crémier, l'épicier, au supermarché... On peut aussi utiliser du lait écrémé en poudre reconstitué.

Les boissons sans Calories

Une seule boisson est naturellement dépourvue de Calories : c'est l'eau. Elle est indispensable à une bonne nutrition. Les autres boissons servent surtout à consommer de l'eau sous des formes plus attrayantes. Le thé, le café, les infusions — qui ne sont que de l'eau parfumée — n'apportent pas de Calories lorsqu'on les consomme sans sucre (on peut les adoucir avec un édulcorant de synthèse).

Dans quelques pays anglo-saxons, on trouve des sodas et des boissons douces dites « sans Calories », sucrés à l'édulcorant. Leur commercialisation est interdite dans la plupart des pays de la

C.E.E. où l'on estime que l'importante consommation d'édulcorant à laquelle ils peuvent conduire n'est peut-être pas sans inconvénients.

Les eaux minérales sont, elles aussi, dépourvues de Calories. Mais elles peuvent ne pas répondre aux critères de l'eau potable. Il en est ainsi des eaux gazeuses (riches en gaz carbonique), des eaux bicarbonatées sodiques (riches en sodium). Seules peuvent être utilisées régulièrement les eaux peu minéralisées.

Les jus de fruits

Ils n'entrent pas dans le cadre du Plan-Fibres. Il s'agit, en effet, de fruits (lesquels ont un apport calorique non négligeable) débarrassés de leurs fibres. Lorsque vous buvez un jus d'orange, vous consommez tout le fructose contenu dans le fruit mais pratiquement aucune de ses fibres. Or on peut boire beaucoup de jus de fruits lorsqu'on a très soif et continuer à avoir aussi faim. Il n'en serait pas ainsi en consommant les fruits entiers. On arriverait d'ailleurs difficilement à consommer entiers la quantité de fruits nécessaire pour obtenir l'important volume de jus de fruits si facilement avalé. Mieux vaut donc manger une orange que boire un jus d'orange, manger une pomme plutôt que boire un jus de pomme en pensant cependant que les fruits sont sucrés et que leur consommation doit rester surveillée.

Les boissons « aux fruits » ou « fruitées » tiennent le milieu entre les jus de fruits et les boissons douces (un peu de jus et de pulpe de fruits, de l'eau, du sucre, des arômes). Elles aussi doivent être évitées si l'on veut suivre le Plan-Fibres.

L'alcool

Pour perdre du poids, pour rester mince et, tout simplement pour des raisons de santé, mieux vaut éviter de boire de l'alcool ou des boissons qui en contiennent, quand on suit un régime amaigrissant — le Plan-Fibres comme les autres.

Pourtant, si vous vous sentez énervé, déprimé et malheureux comme les pierres quand vous n'avez pas accompagné de vin votre déjeuner, il est sans doute plus réaliste d'inclure une toute petite quantité d'alcool dans votre régime. Beaucoup moins que ce que vous consommiez jusqu'ici (l'équivalent d'un verre de vin à 10 degrés par jour) en vous rappelant bien que vous y trouverez des Calories (56 pour ce verre) et que vous serez obligé de suivre plus longtemps le régime. Et puis, quand on ne peut plus se passer d'alcool, c'est peut-être qu'on est déjà quelque peu intoxiqué. Réfléchissez. Par ailleurs, il faut compter ces Calories en plus de celles apportées par les aliments du Plan-Fibres.

La plupart des gens, hommes et femmes, perdent du poids assez rapidement avec 1250 Calories par jour et beaucoup maigrissent de façon encore plus satisfaisante avec 1500 Calories. Tant que vous ne dépassez pas ce total et que les Calories alcooliques ne représentent qu'un faible pourcentage de la consommation quotidienne, accordez-vous ce petit supplément.

L'alcool ne fournit que des Calories (7 Calories par gramme ou 5,6 par degré et par 0,100 l, compte tenu de la densité). Ni vitamines, ni minéraux, ni fibres ne les accompagnent.
Alors, si vous ne pouvez vraiment « pas vous en passer » restez très mesuré. Il est parfois plus facile de calculer sa consommation sur une semaine. Par exemple, sur une moyenne de 8750 Calories par semaine, vous pouvez consommer 1870 Calories le samedi et le dimanche et 1000 Calories seulement les autres jours de la semaine. Soit une moyenne de 1250 Calories par jour. C'est une solution pour ceux qui ne boivent pas d'alcool tous les jours mais seulement à l'occasion d'une réunion ou d'un repas de famille. Attention cependant de ne pas en consommer ces jours-là sept fois plus que ce que vous feriez quotidiennement ! Episodique ou journalière, la consommation d'alcool n'est cependant qu'une ***tolérance***. Qui ***ralentit toujours*** la perte de poids.

Pour ceux qui « ne peuvent pas s'en passer »

Voici une table de l'apport calorique des principales boissons contenant de l'alcool. On a souvent des déboires lorsqu'on essaie de calculer les Calories d'origine alcoolique. S'il est relativement simple de calculer les quantités servies dans les bars et les cafés, toujours à peu près identiques, il n'en est pas de même pour les boissons consommées chez soi. Là, les « rations » personnelles peuvent varier du simple au double quand ce n'est pas au triple. Il n'est pas plus facile de se baser sur la bouteille : on a toujours tendance à sous-estimer la fraction que l'on consomme.

Comme une grande tolérance vaut bien un petit effort, utilisez un verre-mesure pour étalonner vos « rations » à vous. Celles que nous mentionnons dans le tableau sont les plus couramment servies et consommées.

Il faut encore signaler que toutes les Calories de ces boissons ne proviennent pas seulement de l'alcool. Les bières, certains vins doux et les liqueurs contiennent aussi du sucre.

APPORT CALORIQUE DES PRINCIPALES BOISSONS ALCOOLISEES

BOISSONS	QUANTITES SERVIES	CALORIES
ALCOOLS		
Rhum, vodka, marc, kirsch alcools de fruits, schnaps... Alcool : 40 %	1 petit verre = 0,015 l	36
Cognac, armagnac. Alcool : 40 %	1 verre ballon = 0,030 l	72
Whisky, gin. Alcool : 40 %	1 « dose » = 0,030 l	72
LIQUEURS		
L. d'orange (Curaçao, Cointreau, Grand Marnier...). Alcool : 40 %. Sucre : 20 %	1 petit verre= =0,015 l	48
L. de cerises (Cherry...). Alcool : 35 %. Sucre : 20 %	d°	42
Crèmes (de cassis, de cacao...). Alcool : 25 %. Sucre : 50 %	d°	51
Liqueurs de plantes :		
. Chartreuse verte. Alcool : 63 %. Sucre : 20 %	d°	65
. Chartreuse jaune - Bénédictine. Alcool : 43 %. Sucre : 20 %	d°	48
. Verveine. Alcool : 40 %. Sucre : 30 %	d°	52
. Pippermint. Alcool : 27 %. Sucre : 50 %	d°	53
Anisettes. Alcool : 30 %. Sucre : 40 %	d°	49

BOISSONS	QUANTITES SERVIES	CALORIES
APERITIFS		
Vermouths. Alcool : 20 % en moyenne	1 verre apéritif = 0,060 l	66
Pastis et apéritifs anisés. Alcool : 45 %	1 « mesure » = 0,040 l	89
Vins doux naturels. Alcool : 21 %. Sucre : 5 à 12 %	1 verre à porto = 0,060 l	54 à 72
Porto. Alcool : 20 % en moyenne	1 verre à porto = 0,060 l	67
VINS		
à 10 % d'alcool (10°)	1 verre = 0,100	56
à 12 %	d°	67
à 15 %	d°	84
N.B. Les vins d'appellation contrôlée ne sont pas tenus d'indiquer leur teneur en alcool. Ils se situent, le plus souvent, entre 12 et 15 %.		
Champagne brut. Alcool : 12 à 13 %	1 coupe = 0,100 l	73
Champagne demi-sec-mousseux. Alcool : 12 %. Sucre : 10 %	d°	107
BIERES		
Alcool : 2 %. Sucre : 4 %	1 verre = 0,100 l	34
Bières bock vendues en bouteille de 0,250 ou à la pression. Alcool : 3,5 %. Sucre : 4 %	1 bouteille de 0,250 l 1 bock : 0,200 l 1 demi = 0,300 l	89 71 107
Bières de luxe vendues en bouteille ou à la pression. Alcool : 5 %. Sucre : 4 % en moyenne	1 bouteille 1 bock = 0,200 l 1 demi = 0,300 l	100 88 132

BOISSONS	QUANTITES SERVIES	CALORIES
Bières spéciales vendues en bouteille de 0,250 ou à la pression. Alcool : 8 %. Sucre : 4 % en moyenne.	1 bouteille 1 bock = 0,200 l 1 demi = 0,300 l	152 122 183
CIDRES		
Cidre doux. Alcool : 3 %. Sucre : 4 %	1 verre = 0,100 l	29
Cidre sec. Alcool : 4,5 %. Sucre : 3 %	d°	37
Cidre brut. Alcool : 4,5 % Sucre : 3 %	d°	37

XI

LE MELANGE « FIBRES + » BASE DU REGIME

Avec le Plan-Fibres, vous disposez d'une grande variété de recettes pour combiner vos menus — celles qui suivent ou d'autres que vous établirez suivant le même principe.

Il y a cependant une préparation qu'il faut consommer chaque jour. Nous l'appelons : « *Fibres* + ». Elle a le goût et l'aspect d'un muësli*, mais elle a été combinée spécialement pour son important apport de fibres. Vous serez certainement étonné de voir comme une aussi petite quantité d'aliments peut calmer votre appétit pendant aussi longtemps.

La portion quotidienne de *Fibres* + apporte 15 g de fibres alimentaires (résidu fibreux), c'est-à-dire plus que ce que la moyenne des Occidentaux consomment chaque jour. La majeure partie de ces fibres sont d'origine céréalière, les plus intéressantes et les plus efficaces, si l'on en croit les recherches médicales. Mais le *Fibres* + contient aussi des fruits secs et des amandes pour renforcer et équilibrer l'effet de ces fibres.

Pour des raisons de commodité (il est plus facile de peser des quantités relativement importantes que des mini-doses), préparez ce mélange pour une semaine et conservez-le bien au sec, de préférence dans une boîte de fer blanc, éventuellement dans un bocal, hermétiquement fermé. Vous y puiserez chaque jour la quantité nécessaire.

Versez dans un saladier :

Son nature . . . . 50 g
Son aromatisé (Bran Flakes) . . . 75 g
All Bran* . . . . 100 g
Pruneaux dénoyautés et coupés
en petits morceaux . . . . 100 g

(*) - Les muësli sont des mélanges de céréales complètes, fruits frais, râpés ou coupés, fruits secs et fruits oléagineux (noix, amandes...) hachés, consommés avec du lait froid. La première recette, le Bircher-muësli, a été mise au point, au début du siècle, par un hygiéniste suisse, le docteur Bircher.

** Kellog's marque déposée*

Abricots secs coupés
en petits morceaux . . . . 50 g
Raisins secs . . . . 50 g
Amandes hachées . . . . 50 g
Remuez bien avec une spatule : c'est prêt.

Si vous aimez les céréales et les mélanges de type muësli, vous apprécierez la saveur du ***Fibres*** **+** , qu'il soit nature ou additionné de lait écrémé. C'est un petit déjeuner vite prêt avec lequel, malgré son faible volume apparent, vous ne risquez pas le trop classique « petit creux » de la matinée. Un conseil : n'en consommez qu'une partie (la moitié ou les 2/3) au petit déjeuner. Et conservez le restant en vue des petites faims possibles. Au milieu de l'après-midi, par exemple. C'est un grand moment de tentation. A la maison, les enfants rentrent de l'école et se précipitent sur leur goûter auquel on est souvent tenté de participer. Mangez plutôt du ***Fibres*** **+**. Au bureau, la journée se termine et on en a un peu assez. D'où l'envie de se donner du courage en mangeant quelque chose. Mieux vaut le ***Fibres*** **+** qu'une pâtisserie ou un morceau de chocolat. Il n'est pas très difficile d'emporter cette petite quantité dans un sac de plastique. Et on peut la grignoter à sec, en buvant ensuite un verre d'eau.

Le restant de ***Fibres*** **+** peut avoir un autre emploi intéressant. Divisez-le en deux et consommez chaque moitié une demi-heure avant chacun des principaux repas. Elle aura un effet de coupe-faim totalement inoffensif, ce qui n'est pas toujours le cas des médicaments utilisés à cet effet. Car la quantité de fibres ainsi consommée sera en pleine digestion dans votre estomac et vous aurez beaucoup moins faim en vous mettant à table. C'est notamment une propriété très utile si vous êtes invité et craignez de ne pas pouvoir résister aux tentations.

La ration quotidienne de ***Fibres*** **+** (le 1/7 des quantités indiquées ci-dessus) apporte environ 200 Calories. Il faut, bien entendu, les soustraire de votre total quotidien de 1000 ou 1500 Calories. Le lait utilisé avec le ***Fibres*** **+** fait partie de la quantité quotidienne (0,300 à 0,500 l) que vous devez consommer chaque jour.

Il est impossible de ne pas aimer le ***Fibre*** **+**. C'est une composante très importante du Plan-Fibres et vous avez tout intérêt à y faire appel. Il peut arriver que vous ne puissiez pas vous procurer l'un ou l'autre des ingrédients (veillez à avoir toujours une petite provision) ou que vous n'ayez pas le temps de préparer le mélange (bien que cela ne demande que quelques minutes). Ou vous pouvez avoir envie de changer. Vous trouverez plus loin des recettes de petits déjeuners également riches en fibres qui vous permettront de faire face à la situation.

XII

OU SONT LES FIBRES ?

La table que vous trouverez plus loin surprendra peut-être ceux qui sont déjà tout à fait conscients de la nécessité de consommer assez de fibres pour rester en bonne santé.

Nous avons classé les aliments par catégories (légumes verts, fruits...) et tenu compte des portions classiques.

Ce qui vous amènera sans doute à trouver que le son dont vous avez entendu vanter les mérites ne tient pas une très grande place. C'est simplement parce qu'il est difficile d'en consommer, nature, plus de 5-10 g à la fois.

Mais le son représente bien la meilleure source de fibres alimentaires. En quantité (44 % de son poids) et en répartition. Ses fibres renferment très peu de lignine, fibre dure et irritante (3,23 %), pas trop de cellulose (8,05 %) et beaucoup de polysaccharides non cellulosiques (32,7 %). Ces fibres peuvent retenir jusqu'à 4 fois leur poids d'eau, record absolu parmi les fibres alimentaires. Mais c'est une substance légère et le volume que l'on peut manger sans avoir l'impression de se bourrer de sciure ne pèse pas beaucoup. Cependant, rien ne vous empêche de manger du son plusieurs fois par jour. Ce n'est pas seulement une denrée pour le petit déjeuner. Vous pouvez en saupoudrer une grillade (elle aura un petit goût de pané), une salade, en incorporer à une purée de pommes de terre, de carottes ou d'épinards, le mélanger à votre yaourt... Une seule précaution : utiliser du gros son et vous assurer qu'il ne contient pas de résidus de pesticides. Par prudence, bien qu'il y soit nettement moins cher, ne l'achetez jamais en vrac, dans les graineteries. Celui que vous trouvez, conditionné, dans les pharmacies, les magasins diététiques et dans certains supermarchés a, en principe, fait l'objet de contrôles dans ce domaine. Enfin, il existe une grande variété de produits au son, du pain au son du boulanger à celui préemballé des magasins d'alimentation et grandes surfaces, en passant par les bâtonnets, biscuits, échaudés, croquettes... Vérifiez toujours la teneur en son mentionnée sur l'emballage ainsi que la teneur en sucre. Elle est parfois importante. Dans ce cas, les produits ne peuvent pas être utilisés dans le cadre du Plan-Fibres. Bien entendu, il faut tenir compte des Calories ainsi consommées dans le total quotidien. Vous trouverez dans la table ci-dessous mention des produits le plus fréquemment rencontrés dans le commerce.

Préparations-maison ou produits tout prêts, nous mangeons du son uniquement sous des formes qui nous plaisent. Personne n'a jamais pu réussir à consommer pendant longtemps quelque chose qu'il n'aime pas. Pourquoi mangeons-nous ceci ou cela ? Et pourquoi précisément en telle quantité ? Cela dépend en grande partie du volume des aliments et de leur pouvoir « bourratif ». C'est à cause de leur volume important que beaucoup de denrées riches en fibres n'entrent qu'en quantités limitées dans notre alimentation, les fruits et les légumes en particulier. Mais beaucoup d'autres facteurs entrent en jeu. Nous avons tendance à manger jusqu'à la dernière miette l'« unité » d'aliments présentée par l'industrie alimentaire. Connaissez-vous quelqu'un qui ne finisse pas le paquet de chips qu'il a entamé ? Certains, même (pas vous, bien sûr), grattent des doigts le fond du paquet pour terminer les derniers brins qui peuvent s'y être collés. La Nature a accompli un véritable travail d'emballage avec beaucoup d'aliments et cela influence aussi les quantités que nous consommons habituellement. Là où une unité suffit en général à calmer l'appétit et à satisfaire l'envie, nous nous contentons le plus souvent de la manger, elle aussi : une pomme, une orange, une poire... Là où la Nature a fait l'emballage plus petit, les prunes par exemple, une unité ne suffit pas à déclencher le « stop » et, bien souvent, nous consommons une quantité plus importante qu'avec des fruits plus gros. Nous en avons aussi tenu compte dans les portions évoquées.

Les dimensions de l'assiette ou du plat dont nous nous servons ont aussi leur rôle à jouer. C'est le cas, notamment, avec les récipients creux, pour les céréales à petit déjeuner. Quand ces céréales sont légères comme les corn-flakes, une petite quantité (50 g environ) remplit convenablement le bol. Avec le blé soufflé, plus léger encore, 50 g ça déborde. Alors, on en mange moins. Les bâtonnets de son, les muësli sont beaucoup plus lourds. C'est pourquoi on a tendance à en manger plus de 50 g quand on se sert une quantité satisfaisante à l'œil.

Autre facteur qui influe sur notre consommation : le prix de certains aliments, habituellement ceux qui fournissent des protéines animales (viandes, poissons, fromages...).

Ainsi, on est tout à fait satisfait avec 20 ou 30 g de caviar parce qu'on a l'habitude de ne pas manger beaucoup d'un aliment aussi coûteux. Tandis que pour nombre de poissons, comme les sardines ou le merlan par exemple, on considère que 150 g représentent une portion raisonnable. La question du prix joue moins avec les aliments riches en fibres alimentaires, la plupart d'entre eux — par bonheur — n'étant pas chers. Mais cela peut se produire pour certains fruits comme pour les fraises ou les framboises.

Le « travail » occasionné par la consommation de certains aliments intervient également : la mastication (et les aliments riches en fibres font là un bon score) et les manipulations nécessaires pour décortiquer, retirer les os, les arêtes... Des scientifiques ont remarqué, au cours d'une expérience avec des obèses, que lorsqu'on autorisait ceux-ci à en manger à volonté, ils consommaient beaucoup moins de cacahuètes dans leur coque que de cacahuètes toutes décortiquées. Dans l'ensemble, le volume des aliments riches en fibres exerce un effet restrictif très net sur les quantités consommées. C'est même l'une des grandes qualités du Plan-Fibres. Ce qui ne doit pas empêcher de faire très attention avec les noix, noisettes, amandes et les fruits secs. Visiter souvent le placard à provisions pour grignoter une poignée de fruits secs fait consommer un important supplément de Calories. La table indique le taux de fibres pour 30 g de fruits secs (l'équivalent de 3 beaux pruneaux dénoyautés).

Il faut remarquer que les fruits secs ont été jusqu'à un certain point transformés. Il est intéressant de noter que, souvent, des aliments deviennent « engraissants » simplement parce que l'homme y a, d'une façon ou d'une autre, apporté des modifications. Les végétaux que l'on consomme tels qu'ils ont poussé (c'est le cas pour beaucoup de sources de fibres) ont rarement le pouvoir de grossir. Un peu comme s'il n'était pas naturel d'être trop gros.

A notre connaissance, aucune des tables de composition établies jusqu'ici ne tient compte de la portion habituelle pour chaque aliment. En lisant les chiffres ci-dessous, vous vous apercevrez que la teneur en fibres alimentaires pour 100 g n'a que très peu de rapports avec l'apport réel d'un aliment donné dans la ration quotidienne. Evidemment, d'une personne à l'autre, les portions courantes peuvent varier. Et celles que nous avons établies sont parfois plus faibles que pour ceux qui n'ont pas à maigrir (pommes de terre, riz, légumes secs...). Nous pensons cependant que cette table est un guide plus pratique pour réaliser une ration correcte de fibres alimentaires.

APPORT EN FIBRES ALIMENTAIRES DES PRINCIPAUX ALIMENTS

ALIMENTS	TENEUR EN FIBRES pour 100 g g	PORTION MOYENNE g	APPORT DE CETTE PORTION MOYENNE g
LEGUMES VERTS			Poids net, après épluchage et élimination des déchets
Artichaut	4,2	120	5,04
Asperge	1,4	175	2,45
Aubergine	2,3	200	4,6
Bette : côte	2,6	175	4,55
feuille	3,7	175	5,36
Betterave	2,5	75	1,87
Brocoli	4,3	200	8,3
Carotte	2,83	200	5,66
Céleri-branche	1,3	200	2,6
Céleri-rave	1,8	cru 50	0,9
		cuit 150	2,7
Champignons (moyenne)	2,5	200	5
Champignons de Paris	2,2	150	3,3
Chicorée frisée	2,1	80	1,68
Chou blanc	2,7	200	5,4
Chou vert	2,3	cuit 200	4,6
		cru 60	1,38
Chou de Bruxelles	2,8	200	5,6
Chou fleur	1,8	200	3,6
Chou rouge	2,8	cru 60	1,68
		cuit 200	5,6

ALIMENTS	TENEUR EN FIBRES pour 100 g g	PORTION MOYENNE g	APPORT DE CETTE PORTION MOYENNE g
Concombre	0,4	cru 70	0,28
		cuit 250	1,
Courgette	0,9	250	2,25
Cresson	3,28	80	2,6
Endive	2,2	crue 80	1,76
		cuite 225	4,95
Epinard	6,18	300	18,54
Fenouil	1,8	150	2,7
Haricots verts	3,2	225	7,2
Haricots en grains	8,	150	12,
Laitue	1,53	crue 80	1,22
		cuite 300	4,15
Mâche	4,3	60	2,76
Navet	2,2	200	4,4
Oignon	1,3	cru 30	0,39
		cuit 150	1,95
Oseille	4,3	80	3,44
Petits pois	6,	150 à 200	9 à 12
Pissenlit	3,2	60	1,92
Poireau	3,1	300	9,3
Poivron	0,9	cru 40	0,36
		cuit 150	1,35
Pomme de terre	3,5	200	7,0
Radis	1,1	80	0,88
Salsifis	3,2	200	6,4
Scarole	1,6	100	1,6
Tomate	1,4	250	2,1
LEGUMES SECS		Poids avant cuisson	
Haricots secs	25,4	30	7,6
Lentilles	11,8	30	3,54
Pois cassés	23,3	30	6,99
Pois chiches	22,8	30	6,84

ALIMENTS	TENEUR EN FIBRES pour 100 g g	PORTION MOYENNE g	APPORT DE CETTE PORTION MOYENNE g
FRUITS FRAIS		Poids net, après épluchage lorsque la peau est inconsommable (oranges, bananes, clémentines...), avec peau lorsqu'elle ne se retire pas (abricots, prunes, raisins...) ou peut se conserver (pêches, pommes...)	
Abricot	1,3	150	1,95
Ananas	1,4	150	2,1
Avocat	2	120	2,4
Banane	1,75	125	2,19
Brugnon	0,65	125	0,8
Cerise	1,25	150	1,87
Clémentine	0,24	125	0,3
Fraise	2,12	110	3,18
Framboise	7,4	100	7,4
Groseille	6,8	100	6,8
Melon	0,6	200	1,2
Orange	1,78	125	2,22
Pamplemousse	0,3	150	0,45
Pêche	2,28	125	2,85
Poire	2,44	125	3,05
- épluchée	1,7	125	2,12
Pomme	2,42	125	3,02
- épluchée	1,5	125	1,87
Prune	2	150	3
Raisin	0,44	100	0,44
FRUITS SECS et FRUITS OLEAGINEUX		Poids net, sans déchets et cru	
Amande	14,3	20	2,86
Cacahuète	7,6	20	1,52
Datte	8,7	50	4,3

ALIMENTS	TENEUR EN FIBRES pour 100 g g	PORTION MOYENNE g	APPORT DE CETTE PORTION MOYENNE g
Figue sèche	18,3	50	9,1
Noisette	9	40	3,6
Noix	5,2	50	2,6
Olive verte	4,4	40	1,76
- noire	8,2	40	3,28
PRODUITS CEREALIERS			
All Bran	26,7	50	13,35
Blé soufflé	1,4	30	0,42
Corn-flakes	3,	30 à 50	0,9 à 1,5
Farine blanche	3,15	5 (sauce)	0,15
Farine complète	9,51	5 (sauce)	0,47
Flocons d'avoine	7,2	40	2,88
Maïs en grains (conserve)	5,7	150	8,55
Maïs soufflé	2,3	30	0,69
Muësli (moyenne)	7,4	60	4,44
Pain blanc	2,72	50 (pour régimes amaigris-sants)	1,36
Pain de campagne	5,11	50	2,55
Pain complet	8,50	50	4,25
Pilpil de blé	9,50	15	1,42
Riz blanc	2,4	30 (poids cru)	0,72
Riz brun	4,3	30 à 50	1,29
Riz soufflé	2,1	30	0,63
Son (gros son)	44	5 à 10	2,2 à 4,4
Weetabix	12,7	1 biscuit = 14 g	1,78

ALIMENTS	TENEUR EN FIBRES pour 100 g g	PORTION MOYENNE g	APPORT DE CETTE PORTION MOYENNE g
Son aromatisé Gerblé (70% de gros son)	30,8 min.	1 cuillerée à soupe = 5 g	1,54 min.
Jac'son	7,8	1 tranche de 23 g	1,8
Pain complet Jacquet	4,7	1 tranche de 19 g	0,9
Jacotte complète	12,1	1 biscotte de (g	0,7
Jack Lunch complet	3,3	1 tranche de 4 g	0,14
Jac'son longue conservation	7,4	1 tranche de 23 g	1,7
Galettes Sonvital (33% de son)	16,5	1 galette = 10 g dont 3,3g de son	1,65
Biscuits Sonvital (33% de son)	17,9	1 biscuit = 5 g dont 1,67 g de son	0,89
Pain spécial Sonvital (40% de son)	17,6 min.	1 tranche = 8,5 g dont 3,4 g de son	1,49 min.

XIII

ET QUAND ON NE MANGE PAS CHEZ SOI ?

Vous trouverez plus loin des recettes de préparations faciles à emporter avec vous si votre travail vous oblige à manger à l'extérieur — des sandwiches bien composés, par exemple.

De temps en temps, il peut aussi se présenter un repas d'affaires ou une invitation au restaurant. Nous vivons en société et il est pratiquement impossible d'y échapper. Ne croyez pas qu'au restaurant vous pourrez faire tranquillement vos calculs de Calories et de fibres. D'ailleurs, la plupart des plats proposés ne contiennent pas beaucoup de fibres et l'apport calorique varie beaucoup d'un établissement à l'autre.

Alors que faire ? Utiliser votre bon sens pour éviter des erreurs dues à des Calories insoupçonnées mais qui vous empêcheraient de perdre le poids prévu.

Quand vous mangez à l'extérieur, oubliez la question des fibres. Votre estomac aura probablement encore assez de travail avec les fibres des repas précédents pour que vous n'ayez pas une faim de loup. Vous pourrez ainsi mieux vous concentrer sur la consommation calorique. Selon ces deux principes de base :

1) - Rechercher des préparations pauvres en graisses.

2) - Préférer les plats les plus simples.

Le premier de ces principes est très important. Pour perdre du poids aujourd'hui mais aussi pour bien savoir demain le contrôler. Très souvent, avec les meilleures intentions du monde, on choisit des plats très gras avec l'idée (fausse) qu'ils sont pleins de qualités. Non, non, on ne prendra pas de pommes de terre, ni de dessert. Mais on choisit des préparations qui nagent dans le beurre ; on préfère le plateau de fromages au dessert. Or les graisses sont, de loin, les aliments les plus susceptibles de faire grossir. Ces petits escargots, ces délicieuses asperges, ces innocents artichauts peuvent être bourrés de Calories par le piège savoureux des sauces. La vieille méthode, désormais condamnée, du régime sans glucides permettait de faire face plus facilement à ses obligations sociales. Mais l'idée que « s'il n'y a ni sucre, ni amidon, cela ne peut pas faire grossir » en a conduit plus d'un(e) à faire, au restaurant, des excès caloriques. Maintenant, grâce à l'information répandue depuis un an ou deux, on commence à comprendre que l'ennemi numéro un, ce sont les lipides. Ils apportent deux fois plus de Calories que les autres principes nutritifs. Et quand on suit le Plan-Fibres, on sait que nombre d'aliments glucidiques sont, au contraire, d'excellents alliés. Vous serez parmi les pionniers d'une nouvelle façon de manger et de perdre du poids, beaucoup plus efficace. Mais les vieilles idées mettront certainement longtemps à mourir.

Le principe numéro 2 : « choisissez les préparations les plus simples » est basé sur le fait que les graisses peuvent se dissimuler dans tous les plats très cuisinés. Saviez-vous que le tarama (caviar d'aubergines) est bourré d'huile ? Que l'avocat contient 20 % de lipides ? Consommé nature, une fois de temps en temps, cela peut passer. Mais on l'assaisonne plus souvent de vinaigrette (quand ce n'est pas de mayonnaise) que d'un simple jus de citron poivré. Que vous choisissiez un « cocktail de crevettes », une terrine du chef ou des harengs pommes à l'huile, vous avalez facilement 400 Calories avant même d'avoir vraiment commencé votre repas. Ce qui montre bien la nécessité de choisir des plats simples, pauvres en graisses, quand vous êtes amené à manger au restaurant pendant votre régime.

Toutes les sauces classiques, mayonnaise, assaisonnements de salade, les soupes à la crème, les plats au fromage, sont hautement suspects de contenir un excédent de Calories. Vous pouvez préparer chez vous des plats aussi savoureux et très peu gras avec du fromage à 0 % de matières grasses ou du yaourt et des quantités strictement limitées de fromages classiques. Mais leurs recettes n'ont pas encore franchi les portes des restaurants. Et la cuisine asiatique ? Combien de Calories contiennent le curry de Mr Sing ou le porc à l'aigre-doux de Mr Wong ? C'est asiatiquement impénétrable, évidemment. Si vous devez perdre du poids, évitez ces restaurants.

Pour mettre un maximum de chances de votre côté, si vous êtes amené à manger au restaurant pendant que vous suivez le Plan-Fibres, voici les préparations sur lesquelles vous pouvez miser pour chaque type de plats. Une liste malheureusement courte.

Les entrées

Votre sélection anti-calories peut se porter sur :
— les consommés - de l'eau parfumée (si agréablement limpides que vous pouvez même « voir » qu'ils ne camouflent pas de Calories) ;
— les huîtres ou les fruits de mer (si vous êtes en fonds) ;
— un demi-pamplemousse sans sucre (si vous ne l'êtes pas) ;
— du melon ;
— du jambon de Parme avec du melon (le jambon est relativement gras, mais avec le melon cela fait une moyenne) ;
— du saumon fumé (comme il est assez gras lui aussi, ne l'accompagnez pas de toasts beurrés) ;
— des crudités non assaisonnées (demandez un citron pour préparer vous-même un assaisonnement sans Calories : jus de citron, sel, poivre).

Le plat principal

— Toutes les grillades, en précisant bien au serveur que vous ne voulez pas de beurre, ni fondu, ni « manié ». S'il ne vous écoute pas, renvoyez le plat.
— Du foie grillé (même remarque que ci-dessus)
— Un steack salade, mais pas un énorme bifteck, et une salade non assaisonnée (voir ci-dessus les conseils-crudités).
— Du homard ou de la langouste, mais sans aucune de leurs sauces classiques riches en corps gras. Ici aussi, le citron rend service. Dans ces conditions, le seul problème c'est... le prix (selon grosseur).
— Des poissons pochés accompagnés de légumes verts ou de salade (sans sauce, bien entendu).
— Une omelette. Certes, au restaurant, elle est cuite dans un corps gras, mais cela ne va jamais bien loin. Accordez-vous une omelette aux fines herbes, mais pas une omelette aux croûtons (toujours sautés dans une bonne quantité de beurre). Pour tous les légumes d'accompagnement, assurez-vous qu'ils sont cuits à l'eau ou à la vapeur, sans ajout de corps gras après cette cuisson. Mais ayez la volonté de résister à l'attrait du beurre ou de la crème posés sur la table. Ou emportez, si vous l'osez, votre assaisonnement hypocalorique préféré dans un petit récipient hermétique.

Les desserts

Ici, le choix est très simple. L'idéal est un fruit frais riche en fibres et pauvre en Calories : fraises, framboises, groseilles, ananas... ou une salade de fruits frais, tout cela sans sucre, sans crème fraîche, sans Chantilly.

Pour ceux qui soupirent après le goût d'un plaisir défendu, à la grande rigueur un sorbet aux fruits (mais c'est sucré). Les glaces contiennent à la fois du sucre et de la crème ; les entremets, même l'innocente crème au caramel ou les candides œufs à la neige, sont préparés avec du lait entier et du « vrai » sucre. N'y pensez plus !

Si vous préférez remplacer le dessert par un fromage, choisissez astucieusement. Pour ne pas vous ennuyer avec les calculs de matières grasses, dites-vous que plus un fromage contient d'eau, moins il est gras. Et que plus il est mou, plus il contient d'eau. Ce qui vous laisse le choix entre un fromage frais, avec ou sans fines herbes, mais sans crème et sans sucre, et les fromages à pâte molle, type camembert (deux fois moins gras que les fromages à pâte dure, type gruyère ou edam, et trois fois moins gras que les fromages « bleus » et les fromages de chèvre).

P.S.

EN GUISE DE POST-SCRIPTUM POUR CEUX QUI VEULENT AUSSI RESTER DES BIEN-VIVANTS

XIV

« EUX » ET « NOUS » : UNE STUPEFIANTE VERITE

Dans l'ensemble, les Occidentaux ne se préoccupent pas spécialement de faire ce qu'il faut pour rester en bonne santé lorsqu'ils le sont. Bien sûr, nous cherchons à aller mieux quand survient un problème. Mais lorsque nous nous sentons plutôt bien, nous n'allons pas chercher plus loin. Nos capacités d'inquiétude sont déjà saturées par nos chers impôts ou nos chances de remporter tel ou tel Championnat du Monde. L'état de santé de la population n'est pas une préoccupation nationale. Sauf, peut-être, aux U.S.A. Là, un voyageur imprudent le découvre à ses dépens, le plus grand risque, sur un trottoir, ce n'est pas une attaque à main armée, ni un viol, mais l'éventualité d'être piétiné à mort par un flot ininterrompu de joggers. Ils remplacent les bisons en quelque sorte. A la pause-café, les bavardages sont pleins de considérations sur les « additifs chimiques » et habituellement, on les condamne. Si, en Europe, depuis quarante ans, les filles d'Eve prennent à chaque anniversaire la résolution d'aller suivre un cours de gymnastique — ce que nous allons certainement continuer à faire pendant des années — aux U.S.A., eh bien, elles le font ! Vraiment !

Beaucoup de femmes américaines suivent consciencieusement des cours de gymnastique non pas une fois par semaine, mais plusieurs. Helen Gurley Brown, la directrice américaine de « Cosmopolitan », fait plus d'une heure de gymnastique par jour. Alors que cette seule idée suffit à nous épuiser et à nous donner envie d'aller faire un petit somme.

En fait, il y a deux groupes d'Occidentaux anxieux de leur santé. Les uns, ceux qu'on dit « maniaques », sont portés à avaler n'importe quelle théorie sensationnelle. Les autres, ceux qu'on dit « inquiets », ont tendance à avaler de nombreux médicaments dont la principale qualité est d'augmenter le compte en banque du pharmacien. Mais il s'agit de petits groupes marginaux, peu représentatifs de l'ensemble de la population.

Les Américains se préoccupent beaucoup de leur santé, tandis que la plupart des Européens n'y pensent même pas. Mais, des deux côtés de l'Atlantique, nous avons la bonne fortune de disposer de toutes les possibilités de la médecine moderne. Il n'en est pas ainsi dans les pays en voie de développement.

Certains d'entre nous sont assez vieux pour se rappeler le temps où sévissait la tuberculose, cette quasi-condamnation à mort. C'était encore le cas dans les années 40. Aujourd'hui, la tuberculose a pratiquement disparu des pays industrialisés et il nous arrive même d'oublier qu'elle a existé. Si vous avez la quarantaine, vous pouvez aussi retrouver dans votre mémoire le souvenir de certaines affiches : « La diphtérie est mortelle — protégez vos enfants par la vaccination » et vous revoyez peut-être en pensée tel ou tel camarade de classe qui avait contracté la polio et restait infirme à vie. L'un des progrès les plus marquants des dernières décennies est la façon dont la médecine moderne, les vaccins, une meilleure hygiène, de l'eau potable et des égouts bien conçus ont endigué, et même virtuellement aboli, les maladies infectieuses. Tout au moins, dans le monde occidental. Car, dans les pays pauvres d'Asie et d'Afrique, tous ces progrès n'existent pas et des maladies infectieuses devenues chez nous historiques y restent bien actuelles. Comme les organisations charitables s'efforcent de nous le rappeler, en Afrique et en Asie, des millions de gens continuent à mourir de maladies que l'on sait pourtant prévenir et guérir. Rien d'étonnant à ce que ces pauvres gens, vivant comme au Moyen Age, en Inde et dans de nombreux pays africains, aient une espérance de vie beaucoup plus courte que la nôtre.

Mais en est-il vraiment ainsi ?

Préparez-vous à voir chanceler cette hypothèse. C'est vrai qu'en comparant les chiffres d'espérance de vie dans les pays industrialisés, et ceux du Tiers-Monde, voire en comparant notre espérance de vie actuelle et celle de nos grands-parents, la *moyenne* est beaucoup plus élevée dans les pays à haut niveau de vie. Mais ces chiffres sont trompeurs.

La différence provient en grande partie d'une diminution spectaculaire de la mortalité infantile dans les pays industrialisés. Diminution due aux progrès de l'hygiène, à la protection contre les maladies infectieuses, à une alimentation suffisante et bien adaptée. Dans beaucoup de pays du Tiers-Monde, trois enfants sur cinq meurent avant d'atteindre leur cinquième année. Faites un tour dans les vieux cimetières de campagne et vous verrez qu'ici aussi la mortalité infantile était importante jadis, et même encore au début du siècle. Pour calculer l'espérance de vie, on prend en compte tous ceux qui sont nés et tous ceux qui sont morts pour aboutir à des moyennes. Naturellement, la courte vie de ces bébés et de ces enfants abaisse considérablement le chiffre. Pas besoin d'être un grand mathématicien pour s'en rendre compte.

Les nouveau-nés du Tiers-Monde ont beaucoup moins de chances que les nôtres de dépasser la petite enfance. Il en était de même de ceux qui naissaient dans les pays occidentaux il y a un siècle. De là une différence énorme dans les chiffres de mortalité infantile. Mais combien d'années reste-t-il à vivre à un homme ou une femme de 40 ans ? Vous serez très surpris de découvrir que cette espérance de vie d'un Occidental de 40 ans n'a que très peu augmenté depuis le siècle dernier. Après notre victoire sur les épidémies mortelles et les maladies infectieuses, il semble étrange que nous n'ayons pas, à l'âge adulte aussi, plus d'années de vie devant nous. Si on considère que les maladies endémiques, la pauvreté et la malnutrition prédominent là-bas et toutes les possibilités médicales modernes ici, on est encore plus étonné de découvrir qu'un Occidental de 40 ans n'a pas beaucoup plus d'années à vivre qu'un Indien, rescapé de la petite enfance, âgé lui aussi de 40 ans. C'est vrai même pour les pays du Tiers-Monde les plus déshérités. Que ce soit en Amérique où l'on se préoccupe beaucoup de rester en bonne santé ou en Europe où on la considère comme acquise tant qu'il n'y a pas de problèmes, nous cheminons allègrement jusque vers 40, 50 ans et puis... Les personnes d'âge moyen sont affligées de multiples maladies modernes dont beaucoup sont fatales. Ces maladies n'ont pour cause ni des germes, ni des virus. Elles s'installent peu à peu pour des raisons que la science médicale commence seulement à découvrir. On les appelle des maladies dégénératives.

Parmi elles, les maladies cardiaques représentent la cause de décès la plus courante dans les pays occidentaux. Elles tuent environ un homme sur quatre. Autre grand fléau : le cancer, les cancers du poumon et du côlon étant les plus courants. A côté des deux « C » (cœur et cancer), on rencontre d'autres maladies dégénératives comme le diabète, la diverticulose colique et divers troubles intestinaux, et des problèmes moins graves mais toujours pénibles, comme les varices, les hémorroïdes, la constipation. Le point commun entre toutes ces maladies, graves ou moins graves, c'est qu'on ne les rencontre pratiquement jamais dans les pays du Tiers-Monde où l'on vit de façon traditionnelle, de ce qui pousse naturellement. Mais quand des familles émigrent de ces pays, viennent s'installer chez nous, adoptent notre mode de vie et notre alimentation, toutes les enquêtes montrent que, peu à peu, au fil des années, elles aussi sont touchées par les deux « C » et les autres maladies du monde occidental. Il semble que ce soit dû à ce que nous mangeons. Ou à ce que nous ne mangeons pas...

XV

LES FIBRES COMBATTENT SAINEMENT LA CONSTIPATION

Pourquoi les Occidentaux ne montrent-ils pas plus d'ardeur à se maintenir en bonne santé ? Peut-être parce que, dans ce domaine, les conseils médicaux consistent le plus souvent en : « Ne faites pas ceci, ne faites pas cela ! » Or, ne pas faire quelque chose c'est habituellement beaucoup plus difficile que d'entreprendre. Et c'est bien plus triste. On nous dit, avec raison, de ne pas fumer, de ne pas boire trop d'alcool, de ne pas manger trop de sucre, de sel, de graisses. De bons conseils, mais toujours donnés dans le style « tu ne tueras point ! »

Jusqu'à présent, le seul conseil médical formulé ***positivement*** concerne l'exercice physique : « vous devriez absolument faire du sport ! ». L'action bénéfique sur le poids est évidente, les avantages pour la santé physique sont certains et même l'intérêt pour la santé mentale commence à apparaître. L'activité physique est en train de devenir un outil précieux pour soigner les dépressions. Si vous trouvez cela difficile à admettre, essayez donc de vous obliger à une vigoureuse demi-heure de sport, de jogging ou même seulement de marche, à un bon pas, la prochaine fois où vous n'aurez pas le moral. Et vous verrez si cela n'ira pas mieux après.

Mais, l'exercice physique excepté, le corps médical s'est surtout borné à formuler des interdictions. Il ne faut pas beaucoup de preuves scientifiques pour défendre. Ainsi, beaucoup de gens jouent les experts et réclament l'interdiction de tel ou tel produit sous prétexte qu'ils ont lu quelque part les résultats d'une expérimentation à dose massive chez l'animal.

Beaucoup d'aliments naturels, que nous consommons sans dommage depuis des siècles, seraient aujourd'hui retirés de la vente s'ils étaient soumis aux mêmes tests que les médicaments et aliments d'aujourd'hui. Une prudence indispensable pour éliminer ou, tout au moins, réduire fortement les risques d'effets secondaires à long terme qui peuvent provenir de substances apparemment inoffensives.

Il faut donc beaucoup de certitudes scientifiques pour recommander quelque chose. La première attitude du corps médical est un scepticisme aigu. Il va se former des « camps » qui discuteront âprement entre eux, continueront les expériences, les études et les débats pendant des années, avant de commencer à se laisser convaincre.

Alors, quand une grande partie du corps médical s'accorde à reconnaître des qualités à telle ou telle substance, vous pouvez être tout à fait certain qu'elle est pleine d'intérêt. C'est le cas des fibres alimentaires. Aujourd'hui, en Europe et en Amérique, les autorités médicales leur reconnaissent des propriétés préventives vis-à-vis des maladies « de civilisation ». Les organismes spécialisés en nutrition dressent deux listes de recommandations. Une longue liste de restrictions : « mangez moins de graisses, de sucre, de sel, de Calories » et une courte liste de recommandations : « ***mangez un peu plus d'aliments riches en fibres*** ».

On peut trouver curieux que ce grand mouvement d'intérêt médical pour les fibres alimentaires n'ait vu le jour qu'au cours des dix dernières années. Alors que, depuis longtemps, les nutritionnistes se penchent sur la valeur et les qualités des vitamines, minéraux et protéines nécessaires à la croissance et à l'entretien de notre corps. Mais les fibres alimentaires n'apportent rien dans ce domaine. On peut les comparer à l'emballage qui entoure des friandises. Qui pourrait s'exciter au sujet d'un emballage, une fois que ce qu'il protégeait est livré en bon état ? C'est peut-être pour cette raison qu'on a négligé l'importance des fibres.

Quand on a commencé à savoir que les populations des pays en voie de développement ne connaissaient pas nos maladies de civilisation, les chercheurs ne pouvaient que s'intéresser de près à ce que ces populations faisaient ou ne faisaient pas. On s'est alors aperçu que l'une de leurs particularités concernait une fonction très intime — ***l'évacuation des intestins.*** Des amis médecins m'ont décrit l'enthousiasme d'un éminent chercheur. Tout en projetant les diapositives des selles d'un paysan africain, il émaillait son exposé de remarques du style « regardez comme elles sont belles ! ». Evidemment la beauté est dans l'œil d'un spectateur et dans ses préoccupations. Après des années d'étude sur la répartition mondiale des maladies liées à l'alimentation, ce savant admirait les selles d'un homme qui ne risquait pas de mourir d'un cancer de l'intestin. Les populations du Tiers-Monde, exemptes de nos maladies dégénératives, ont une alimentation plus riche en glucides que la nôtre. Des glucides qui proviennent de céréales non raffinées, de végétaux riches en fibres (pommes de terre et racines), de légumes et de fruits. Le fonctionnement intestinal du paysan africain ou asiatique qui vit avec une telle alimentation peut effectivement remplir de jalousie un Occidental constipé. Sans effort, tous les jours, il élimine près de 500 g de selles molles — le type de selles capables de confondre un médecin par leur beauté. A l'inverse, l'Occidental élimine à peine un peu plus de 100 g de selles fermes, dures, souvent même pas tous les jours et souvent aussi avec difficulté. La durée du transit digestif (temps mis par les aliments pour traverser le tube digestif depuis le moment où nous les avons mis dans notre bouche jusqu'à ce que les déchets soient éliminés) est également très différente : un jour et demi pour un paysan du Tiers-Monde, trois jours chez un Occidental adulte et en bonne santé et jusqu'à deux semaines chez des personnes âgées ! Mais s'agit-il d'un problème important ?

Il y a quelques années seulement, dans leurs efforts pour réprimer un usage des laxatifs excessif et non sans danger, les médecins insistaient sur le fait que cette question n'avait pas d'importance. « Allez à la selle quand la Nature vous y envoie », telle était l'attitude générale. « Certains vont à la selle tous les jours, d'autres seulement une fois par semaine ; n'essayez pas de faire mieux que la Nature ! ». Nous savons, par expérience personnelle, que les nourrices et les intendantes scolaires n'ont pas été convaincues par ces arguments. Leur point de vue à elles et celui de beaucoup de grands-mères à l'ancienne mode, c'était que la Nature demande que l'intestin soit évacué régulièrement, tous les jours. Mais oui, grand-mère, aujourd'hui on vous l'accorde. A condition que ce ne soit ni par contrainte, ni par discipline, ni par l'emploi de laxatifs. Quand on mange les aliments tels que la Nature les a fait pousser, cette tache quotidienne s'accomplit sans effort et même avec satisfaction.

Les fibres facilitent le transit intestinal

Curieusement, la boucle est bouclée. Premier temps : le bon peuple a le sentiment instinctif qu'il n'est pas bon que les déchets alimentaires s'attardent dans l'intestin. D'où la popularité de pratiques aussi désagréables que les lavements et l'emploi exagéré de laxatifs, condamné par le corps médical. Deuxième temps : à cause de ces méthodes discutables, les médecins insistent sur le fait que la fréquence des selles n'a pas grande importante. Aujourd'hui enfin, les recherches ont établi qu'un transit rapide et une évacuation sans effort de selles molles sont des facteurs de bonne santé.

Les fibres alimentaires sont les résidus qui traversent au bon rythme le circuit digestif. Au lieu de continuer à mettre l'emballage au rebut avec la belle désinvolture d'un matin de Noël et à manger des aliments glucidiques raffinés, faites plutôt la connaissance des rapports que l'on a découverts entre les fibres alimentaires — ou le manque de fibres alimentaires — et tant de maladies dégénératives des Occidentaux.

XVI

LES PRINCIPALES MALADIES LIEES AU MANQUE DE FIBRES

On a pu mettre en évidence les rapports qui existent entre la consommation de fibres et les principales maladies dégénératives des Occidentaux, en étudiant les traits dominants chez les victimes de ces maladies et chez les autres. On sait, par exemple que ceux qui souffrent de crises cardiaques ont une tendance à l'hypercholestérolémie (taux élevé de cholestérol dans le sang). Ce qui ne veut pas dire que le cholestérol est la cause des crises cardiaques — ou du moins il n'en est pas la seule cause. Mais le rapport entre ces deux faits montre bien qu'il n'est pas bon d'avoir un taux de cholestérol trop élevé. Un régime riche en fibres est tout naturellement pauvre en lipides parce que la majorité des Calories qu'il apporte proviennent des glucides. Ces deux facteurs nutritionnels vont de pair dans les groupes de population qui ne consomment pas nos aliments d'Occidentaux — et aussi dans le Plan-Fibres. Celui-ci n'est pas seulement riche en fibres mais aussi pauvre en lipides et pauvre en cholestérol. C'est le régime qu'il faut adopter si vous êtes convaincu de la nécessité de restreindre votre consommation de graisses.

Fibres alimentaires et cancer du côlon

Le cancer du côlon ne frappe pas avec la même fréquence dans les divers points du globe. En Amérique, c'est la forme fatale de cancer la plus courante. En Europe, c'est la seconde, après le cancer du poumon. Dans les pays en voie de développement, il est pratiquement inconnu. Il ne fait pas de doute, même dans l'esprit des membres les plus réservés du corps médical, que la cause du cancer du côlon se trouve dans notre environnement et que les facteurs incriminés sont liés au développement économique. Plus le développement économique d'un pays est important, plus le cancer du côlon y est fréquent. Aucune autre forme de cancer n'a pu être rattachée aussi étroitement au mode de vie des pays occidentaux et à la façon dont on y mange.

On a découvert qu'*avec une alimentation apparemment correcte sur tous les plans, mais pauvre en fibres, la production de*

substances cancérogènes dans l'intestin et leur concentration peuvent augmenter. Il semble qu'il y ait pour cela plusieurs biais. Tout d'abord, les petites selles d'un Occidental seraient plus concentrées en substances cancérogènes que les selles largement diluées des mangeurs de fibres. En second lieu, leur transit ralenti favoriserait la formation de ces substances et les maintiendrait plus longtemps en contact avec l'intestin.

Finalement, elle n'était pas fausse l'impression instinctive qu'une bonne « vidange » est indispensable et que les déchets alimentaires qui s'attardent ne sont pas sans inconvénients. Seule erreur : les méthodes artificielles utilisées pour régler la question.

Le cancer du côlon est pratiquement inconnu dans les populations qui éliminent chaque jour des selles importantes ; dans les populations où le cancer du côlon est fréquent, le volume des selles est toujours réduit. Et ce volume dépend naturellement de la consommation de fibres. Chez les paysans finlandais, le cancer du côlon est exceptionnel. Mais on estime qu'ils mangent environ deux fois plus de fibres que les New-Yorkais parmi lesquels cette forme de cancer est très répandue. Encore plus éloquente est l'étude de populations d'émigrants, par exemple les Japonais qui se sont installés en Californie et qui ont adopté l'alimentation américaine. Les premiers arrivants qui ont conservé l'alimentation traditionnelle n'ont pas eu de cancer du côlon. Mais, en une génération, chez ceux qui mangent à l'occidentale, on remarque un risque de cancer du côlon égal à celui des Américains. Ce qui vient renforcer la thèse d'une origine alimentaire, en opposition à celle d'une susceptibilité génétique particulière à telle ou telle race.

Les populations à haut risque consomment beaucoup de graisses et très peu de fibres ; les populations à risques minimes font exactement l'inverse. Ce qui tendrait à prouver qu'une forte proportion de graisses dans l'alimentation augmente le risque de cancer du côlon et que l'apport de fibres en protège. Dans un rapport, le Collège Royal de Médecine déclare : « il y a des présomptions raisonnables pour affirmer que, chez des personnes génétiquement disposées, ***le cancer du côlon peut être favorisé par une alimentation pauvre en fibres*** ». Bien qu'il ajoute, naturellement, qu'il y a d'autres explications possibles à la fréquence de ce cancer dans les pays occidentaux, une telle affirmation, émanant d'un organisme aussi prudent et distingué, montre que le fait de trouver les fibres alimentaires « bonnes pour la santé » dépasse le cadre de la manie. Elle sous-entend que nous devrions penser davantage à l'apport de fibres, non seulement pour un régime amaigrissant, mais aussi pour l'alimentation de nos enfants.

Fibres alimentaires et maladie coronarienne

La maladie coronarienne est le type même de la maladie « de civilisation ». Rare dans les pays occidentaux avant la Première Guerre Mondiale, elle y est aujourd'hui la cause de décès la plus courante. Elle reste quasi-inconnue pour les paysans africains et elle est peu fréquente chez la plupart des populations rurales d'Asie. Certains aspects de notre environnement — le tabac, l'alimentation, la sédentarité, les boissons douces, les stress... peuvent être incriminés. Depuis plusieurs années, on désigne la consommation de graisses saturées comme principal responsable. Ce n'est certainement pas le seul. A Londres, au cours d'une étude prolongée sur les causes de cette maladie, on a soigneusement examiné un groupe d'hommes en notant leur mode de vie. Et on les a suivis pendant 20 ans (ou jusqu'à leur mort). Pour conclure que le principal facteur de risque de maladie coronarienne était le tabac et le principal facteur de protection, la consommation de fibres céréalières. Dans ce domaine, les rapports avec la consommation de fibres ne sont pas aussi clairs et directs que pour le cancer du côlon. Mais une telle constatation place certainement les fibres parmi les « bons amis » qui nous protègent des maladies cardiaques en opposition avec les « sales types » comme les graisses animales et le tabac.

- Les « sales types », c'est-à-dire des facteurs susceptibles d'augmenter le risque de maladie coronarienne, ce sont : être trop gros — fumer — être exposé aux stress — manger trop de graisses d'origine animale — manger trop d'aliments contenant du cholestérol (comme les œufs) — consommer trop de sel — manger trop de sucre — être sédentaire.
- Les « bons amis », c'est-à-dire les facteurs dont on pense qu'ils peuvent concourir à la prévention de la maladie coronarienne, ce sont : faire régulièrement de l'exercice — consommer suffisamment de fibres alimentaires.

L'effet favorable des fibres provient surtout de ce qu'elles réduisent l'absorption des graisses et du cholestérol — mais il y a d'autres biais par lesquels elles semblent garder le cœur en bonne santé.

La preuve de l'effet préventif des fibres alimentaires vis-à-vis des maladies cardiaques n'est pas encore assez solide pour être concluante. Mais elle est certainement assez solide pour nous faire réfléchir.

Fibres alimentaires et diverticulose colique

Encore une maladie qui semble avoir proliféré spontanément au cours des cinquante dernières années. Elle est pratiquement inconnue en Afrique et en Asie, tandis que, dans les pays occidentaux où elle était relativement rare jusque vers 1920, elle est aujourd'hui l'une des maladies intestinales les plus fréquentes. On estime que, passé 40 ans, une personne sur dix souffre de diverticulose, même si c'est souvent sans symptômes, et une sur six passé 60 ans. La constipation est considérée comme la cause sous-jacente de cette maladie — et *une alimentation pauvre en fibres est la principale cause de la constipation*. La diverticulose provient de l'effort et de la pression que la paroi intestinale doit exercer pour propulser en avant les petites selles dures provenant d'un repas d'Occidental.

L'action favorable des fibres sur la diverticulose est très claire. Aujourd'hui, enrichir l'alimentation en fibres, souvent en lui ajoutant du gros son, n'est plus seulement une mesure préventive, mais aussi un moyen de traitement largement utilisé. Avec le traitement au son, les interventions chirurgicales pour complications sont devenues exceptionnelles.

Fibres alimentaires et diabète

Nous avons parlé plus haut de la faim réactionnelle qui se produit après un repas riche en sucres à utilisation rapide. Vous avez ainsi une idée du rôle que peuvent jouer les fibres alimentaires dans la prévention et le contrôle du diabète de l'adulte, fréquent chez les obèses.

Dans les pays industrialisés, beaucoup de gens d'âge mûr ont des difficultés à utiliser les glucides par suite d'une sécrétion d'insuline insuffisante. L'insuline, nous l'avons dit, est nécessaire pour abaisser une glycémie trop élevée. Si la glycémie augmente trop, il apparaît du sucre dans les urines et on est considéré comme diabétique. A côté de ces cas, il faut signaler des états limite pour lesquels on parle plutôt de défaut de tolérance au glucose. Quelques-uns d'entre eux seulement auront un vrai diabète. Mais il existe un risque accru de mourir d'une maladie cardiovasculaire.

La réponse insulinique aux glucides que nous consommons varie avec la vitesse d'absorption de ces glucides. Un facteur diététique qui retarde l'absorption peut être considéré comme bénéfique et, une fois encore, les fibres semblent jouer un rôle protecteur. Les aliments glucidiques riches en fibres sont absorbés plus lentement que les autres.

Le diabète de l'adulte se manifeste surtout chez les petits consommateurs de fibres. Par contre, il est rare chez ceux qui consomment des aliments traditionnels non raffinés. Aux U.S.A., un essai d'alimentation riche en amidons non raffinés, riche en fibres, a entraîné une rémission dans 85 % des cas.

Un tel changement de régime ne doit évidemment être essayé par des diabétiques que sous surveillance médicale. Par ailleurs, jusqu'ici, cette forme d'alimentation n'a eu aucun résultat sur le diabète du jeune. De nombreux médecins commencent cependant à recommander d'inclure davantage d'amidons non raffinés dans l'alimentation des diabétiques.

XVII

CES PETITS ENNUIS QUI DONNENT DE GRANDS SOUCIS

Ce livre n'a pas pour but de fournir des directives médicales pour toutes les maladies attribuées, au moins dans une certaine mesure, au manque de fibres. Nous voulons simplement attirer l'attention sur un point : la nécessité de faire une large place à ces substances dans notre alimentation quotidienne ***repose sur des indications médicales solides***. Il ne s'agit pas d'une mode passagère.

Si vous n'êtes pas pénétré de l'idée qu'il existe un rapport évident entre une faible consommation de fibres et la fréquence du cancer du côlon, ni par les relations possibles entre les fibres et les maladies cardiaques, vous n'allez certainement pas vous précipiter sur le pain complet dans le but de prévenir une appendicite ou une lithiase biliaire, deux autres maladies associées à notre alimentation moderne pauvre en fibres.

Cependant, on porte souvent plus d'attention à de petits détails qui touchent notre vanité qu'à des faits plus importants pour notre santé. Peut-être parce que, pour ces derniers, nous pensons que « ça n'arrive qu'aux autres ». A mon idée, lors des campagnes anti-tabac des dix dernières années, celui qui a conçu les spots télévisés n'aurait pas tellement dû parler du cancer du poumon mais bien plutôt attirer l'attention sur le fait que fumer donne mauvaise haleine. Bien fait ! Une campagne contre la mauvaise haleine serait peut-être plus efficace que les slogans actuels. Et si un chercheur avait l'idée de faire un travail plus poussé sur les rapports entre le tabac et la beauté du teint, nul doute que ses informations retiendraient passionnément l'attention. Bien sûr, une étude a suggéré que le tabac accélère la formation des rides, mais on ne semble pas avoir poussé plus loin. Je m'étonne que le corps médical n'ait pas eu l'idée que la crainte des rides précoces constituerait une motivation sans égale pour que la moitié féminine de la population (et une partie de l'autre moitié) perdent cette mauvaise habitude.

Voici en tout cas quelques petits désagréments qui peuvent survenir si vous ne faites pas un effort pour augmenter nettement votre consommation de fibres alimentaires.

Pour commencer : les varices

Tout le monde sait à quoi ressemblent des varices. Ceux qui n'en ont pas n'ont certainement pas envie d'en avoir. Et ceux qui en ont ne voudraient sûrement pas les voir s'aggraver. La cause initiale des varices n'est pas très bien connue. Mais quelques éminents chercheurs comme le Dr Denis Burkitt pensent qu'elles proviennent d'une pression abdominale augmentée par suite des difficultés à progresser des selles de type occidental, petites, dures, peu abondantes. Alors, en avant pour le gros son !

Pour les lecteurs hommes : les hémorroïdes

Avoir des hémorroïdes ne nous vaut que bien peu de compassion si l'on considère la gêne qu'elles peuvent causer. Prudentes, leurs victimes ont appris à souffrir en silence, craignant de provoquer plutôt des petits rires étouffés que de la pitié.

Etant donné la nature de cette petite maladie, il n'est pas étonnant qu'on l'attribue surtout à la constipation et, encore une fois, aux difficultés à évacuer des selles dures. Au cours des dernières années, on a pu remarquer que ceux qui souffrent d'hémorroïdes n'ont plus besoin d'autre traitement dès qu'ils se sont tournés vers une alimentation riche en fibres, source de selles molles, éliminées avec un minimum d'efforts.

Pour les plus jeunes : les mauvaises dents

Beaucoup d'enfants en ont probablement par-dessus la tête de ce qu'ils entendent au sujet des mauvaises dents. Mais les anges gardiens de leur santé dentaire seront intéressés d'apprendre que le Collège Royal de Médecine est tout à fait partisan d'un régime riche en fibres qui encourage la mastication, pour le plus grand bien des dents. Les dents sont faites pour mâcher. Si on ne les emploie pas à cela, elles deviennent plus sensibles aux maladies dentaires et aux caries. Mastiquer des aliments riches en fibres aide à garder les dents plus propres et élimine la plaque dentaire. Après des années de doute entretenu par le corps médical, on peut enfin dire avec conviction qu'« une pomme chaque jour —

accompagnée des autres aliments riches en fibres que vous mangerez avec le Plan-Fibres — laisse vraiment le docteur à la porte ». Le dentiste aussi !

XVIII

DES FIBRES POUR LA VIE

Ce qu'on entend probablement de plus déprimant à propos de régime amaigrissant, ce sont des phrases de médecins bien intentionnés du style : « C'est un régime qu'il vous faudra suivre toute votre vie ». N'importe quel humain normal abandonnera dans l'instant l'idée même de commencer un tel régime. Qui d'entre nous peut s'imaginer suivant à jamais un régime amaigrissant ?

Mais non, ne jetez pas ce livre ! Ce n'est pas ce que nous avons l'intention de vous dire. Nous allons simplement vous demander d'inclure dans votre alimentation normale de l'avenir tout ce qui dans ce régime est facile, voire agréable. Très probablement, vous n'imaginiez pas que les petits pois, les bananes, le maïs doux avaient autant d'intérêt. Vous voudrez désormais continuer à en manger, et peut-être même plus souvent, parce que vous avez appris à les aimer. Vous avez essayé les céréales au son et découvert que vous les appréciez autant que les classiques corn-flakes. Le goût n'est pas tellement différent. Et si vous trouvez qu'il n'est pas désagréable de saupoudrer d'un peu de son l'assiette de céréales de votre petit déjeuner, vous aurez envie de continuer. Préférer le pain complet ou le pain blanc, c'est avant tout une question d'habitudes. Habitué au pain complet ***en maigrissant avec le Plan-Fibres***, vous vous apercevrez, une fois redevenu mince, que c'est celui que vous préférez ! Lorsque vous n'aurez plus de kilos à perdre, vous pourrez manger davantage et, avec un taux calorique normal, il n'est pas du tout difficile d'arriver à consommer 40 g de fibres par jour. Il suffit de prêter attention aux aliments qui en contiennent, comme vous allez le faire au cours des prochaines semaines. Et 40 g par jour, c'est tout à fait suffisant pour vous protéger sur tous les points ci-dessus tout en vous facilitant le contrôle de votre poids.

Si vous avez des enfants, il est à peu près certain que votre meilleure connaissance de l'intérêt des fibres alimentaires va influencer les menus familiaux — et ainsi leurs habitudes et leurs préférences dans l'avenir.

Les grandes maladies dégénératives du monde occidental n'arrivent pas brusquement — comme les maladies infectieuses.

Elles nous envahissent lentement, résultat d'années et d'années de mauvaise alimentation. Vous ne pourrez jamais le savoir, mais c'est peut-être le régime amaigrissant dans lequel vous allez vous lancer qui évitera à vos enfants de souffrir, dans quarante ans, d'un cancer du côlon. Une super-prime en quelque sorte.

XIX

LES REGLES DU PLAN-FIBRES

Voici les règles à suivre pour maigrir régulièrement avec le Plan-Fibres :

1) - Déterminez votre consommation calorique quotidienne entre un minimum de 1000 Calories et un maximum de 1500 (voir chapitre 8).

2) - En établissant vos menus de chaque jour, efforcez-vous de consommer entre 35 et 50 g de fibres. Les chiffres sont donnés avec chaque recette. Pour les détails, relisez le chapitre 9.

3) - Consommez entre 0,300 et 0,500 l de lait écrémé par jour. Et tenez compte des Calories ainsi consommées dans votre total quotidien.

4) - En dehors du lait écrémé, choisissez des boissons sans Calories. Si vous n'arrivez pas à suivre le régime sans consommer un peu d'alcool, voyez au chapitre 10 jusqu'où vous pouvez aller.

5) - Consommez chaque jour un ou deux fruits — suivant le taux calorique — pas trop gros et autant que possible non épluchés. Pas besoin de les peser à chaque fois. Veillez simplement à l'achat qu'il y en ait environ huit au kilo pour les gros fruits et essayez de ne pas dépasser votre part lorsqu'il s'agit de petits fruits. De toute façon, d'un jour à l'autre, les variations tendront à s'équilibrer. Comptez environ 100 Calories par fruit et ajoutez 5 g de fibres à vos calculs.

6) - N'oubliez pas de consommer chaque jour votre « ration de *Fibres* + ». La recette et les proportions sont données page 52. Divisez-la en deux parts que vous mangerez l'une au petit déjeuner, l'autre au cours de la journée. Et retirez pour cela 200 Calories de votre « allocation » quotidienne. Ajoutez 15 g à l'addition des fibres. Ne consommez l'un des petits déjeuners que vous trouverez dans les recettes que si vous ne pouvez vraiment pas utiliser le *Fibres* +.

7) - Choisissez librement parmi les recettes suivantes, calculées en Calories et en fibres, pour compléter votre « ration » de la journée.

C'est beaucoup plus simple qu'il ne semble au premier abord et vous en prendrez vite l'habitude. Le lait écrémé, les fruits et le Fibres + totalisent 400 à 500 Calories et environ 20 g de fibres. Soustrayez ces Calories de votre total quotidien et prenez le reste dans les recettes que vous pouvez choisir dans les pages qui suivent (ou dans des recettes analogues). Prenez-y aussi 15 g de fibres pour réaliser le total quotidien.

Combien de repas faudra-t-il faire ? Et quand ? C'est vous qui en décidez ; il suffit de maintenir un total correct de Calories et de fibres. Certains aiment faire un repas de midi plus important ; d'autres préfèrent manger moins à la fois et plus souvent. ***Suivez votre rythme à vous.*** C'est le meilleur conseil que l'on puisse vous donner parce que ce sera le rythme le plus facile à respecter. Et les régimes les plus faciles à suivre sont ceux qui marchent le mieux.

Un mot au sujet de la perte de poids

Du jour où vous commencerez le Plan-Fibres, vous commencerez aussi à perdre du poids. Mais, justement parce que vous allez manger des denrées riches en fibres, il peut se passer trois ou quatre jours avant que la perte de poids ne s'inscrive sur la balance. La raison en est simple : il s'agit de variations dans le contenu en eau de votre organisme.

Rappelez-vous. Les aliments riches en fibres retiennent de l'eau. Ainsi 1 à 1,5 kilo d'eau peuvent rester prisonniers et cacher une perte équivalente de graisse corporelle. Prenez patience. Dès la fin de la première semaine de régime, le pèse-personne va raconter la véritable histoire d'une bonne courbe d'amaigrissement. Et dès ce moment, vous allez descendre tranquillement vers le poids idéal.

Un petit problème de rodage peut se produire quand vous inaugurez ce nouveau mode d'alimentation, plus sain. Ceux qui sont habitués à une alimentation pauvre en fibres peuvent, pendant une semaine ou deux, souffrir de flatulences, gaz, ballonnements. Un problème qui se résoudra de lui-même au fur et à mesure que vous vous habituerez à ce type de régime. Si vous trouvez ce problème particulièrement gênant, évitez cependant les premiers temps les recettes à base de légumes secs, jusqu'à ce que vous ayez vraiment pris l'habitude de consommer beaucoup de fibres.

Notez bien cela

Si vous avez du poids à perdre et si, par ailleurs, tout va bien, il n'est pas indispensable de demander à votre médecin l'autorisation de suivre ce régime. Mais ***si vous avez le moindre petit problème, avertissez-le de votre intention de suivre un régime riche en fibres et pauvre en Calories et demandez-lui son avis.*** C'est plus sage.

Sauf pour ceux qui souffrent d'une importante obstruction intestinale ou d'une maladie cœliaque, on n'a jamais vu les fibres alimentaires causer ou aggraver aucune des maladies courantes du monde occidental. Leur rôle c'est de protéger, pas de rendre malade.

XX

LES MENUS DU PLAN-FIBRES

Sauf indication particulière, ces recettes sont prévues *pour quatre personnes.* Pour des raisons de commodité. S'il est facile de préparer un plat qui n'attache pas pour quatre personnes avec une cuillérée à soupe d'huile, il est pratiquement impossible de faire la même chose pour une seule personne avec un quart de cuillerée. Et puis, c'est bien suffisant d'être au régime. Il n'est pas nécessaire, en plus, de manger à part, de saliver devant ce que mangent les autres, même si ce qu'on mange est bon aussi et, bien pire, de préparer deux cuisines. Par ailleurs, les mêmes causes produisant le plus souvent les mêmes effets, il est rare que, dans une famille, une seule personne ait des kilos à perdre. Si c'est le cas, les autres pourront toujours consommer un supplément de fromage, de pain (*complet*), de farineux, de corps gras. Et si vous n'êtes que trois à table, la question est vite réglée : un quart du plat pour vous, les deux autres convives se partagent les trois-quarts restants.

Outre les denrées riches en fibres, nous avons utilisé au maximum des produits classiques dans les régimes amaigrissants et qu'il est facile de se procurer : édulcorants de synthèse, corps gras appauvris en lipides (41 % au lieu de 82 %), huile de paraffine, fromage à 0 % de m.g. et, pour la cuisson, des récipients à revêtement antiadhésif qui permettent de n'utiliser que très peu de corps gras, voire pas du tout. Les corps gras courants sont d'origine végétale : huiles et margarines. Toutes ces recettes sont simples et ne demandent pas beaucoup de travail de préparation. Certaines cuissons sont un peu longues. Mais on peut faire autre chose pendant ce temps-là. D'ailleurs, il est toujours possible et même souhaitable pour ce type de cuissons, de se servir d'un autocuiseur. Ce qui réduit nettement les temps de cuisson (un tiers de la durée classique).

En page 220, nous vous donnons des exemples de journées-menus à 1000, 1250, 1500 Calories utilisant ces recettes, soit exclusivement, soit associées à des plats simples (grillades, poissons pochés...).

LES PETITS DEJEUNERS

Le petit déjeuner idéal du Plan-Fibres est une portion du mélange « Fibres + » (voir page 52). La demi-portion apporte 7,5 g de fibres. Mais les exemples ci-dessous permettent de varier. Ils sont tous préparés avec du lait écrémé. Si vous employez du lait demi-écrémé, ajoutez 15 Calories au total indiqué et 35 Calories si vous utilisez du lait entier.

RIZ SOUFFLE

Calories : 197 ; Fibres : 6,7 g

Par personne :
1 cuillerée à soupe de riz soufflé (rice Krispies)
1 cuillerée à soupe de son
2 cuillerées à soupe de son aromatisé
1 cuillerée à soupe de raisins secs
0,200 l de lait écrémé.
— Mélanger tous les ingrédients solides dans une assiette creuse ou un grand bol. Arroser avec le lait à température ambiante.

ALL-BRAN AUX RAISINS

Calories : 234 ; Fibres : 14,1 g

Par personne :
3 cuillerées à soupe de bâtonnets All-Bran
1 cuillerée à soupe de raisins secs
0,200 l de lait écrémé.
— Procéder comme ci-dessus.

MUESLI

Calories : 298 ; Fibres : 6,74 g

Par personne :
1 cuillerée à soupe de flocons d'avoine précuits
la moitié d'une petite pomme lavée mais non épluchée
le jus d'un demi-citron
1 cuillerée à soupe de lait écrémé en poudre
1 cuillerée à soupe de noix, noisettes ou amandes concassées
0,200 à 0,250 l de lait écrémé.

— Râper la pomme avec sa peau. Arroser de jus de citron pour qu'elle ne noircisse pas.

Ajouter et mélanger tous les ingrédients solides.

— Arroser de lait écrémé à température ambiante.

CORN-FLAKES AUX FRUITS

Calories : 362 ; Fibres : 7,1 g

Par personne :
50 g de corn-flakes (un petit bol)
la moitié d'une petite pomme lavée mais non épluchée
le jus d'un demi-citron
la moitié d'une petite orange
1 cuillerée à café de noix de coco râpée
1 yaourt nature
l'équivalent de 30 g de sucre en édulcorant.

— Râper la pomme et l'arroser de jus de citron pour qu'elle ne noircisse pas. Peler l'orange à vif et la couper en petits morceaux en ajoutant à la pomme.

— Mélanger pomme et orange à la noix de coco et à l'édulcorant.

— Mettre le yaourt dans le fond d'un grand bol. Le battre à la fourchette. Ajouter les fruits, puis les corn-flakes. Mélanger.

PORRIDGE

Calories : 317 ; Fibres : 8,16 g

Par personne :
30 g de flocons d'avoine
0,200 l de lait écrémé
1 cuillerée à soupe de son
2 cuillerées à soupe de son aromatisé.

— Faire chauffer le lait dans une casserole à revêtement antiadhésif. Dès qu'il frémit, y verser les flocons d'avoine. Laisser cuire et épaissir pendant 5 minutes environ sans cesser de tourner.

— Verser dans un bol ou dans une assiette creuse. Ajouter le son aromatisé et bien mélanger.

— On peut ajouter de l'édulcorant si on le désire.

MIX AUX FLOCONS D'AVOINE

Calories :372 ; Fibres : 11,18 g

Par personne :
30 g de flocons d'avoine précuits
1 cuillerée à soupe de bâtonnets All-Bran
1 cuillerée à soupe de raisins secs
1 cuillerée à soupe de noix hachées
1 pruneau décortiqué et coupé en morceaux
0,200 l de lait écrémé.

— Mélanger tous les ingrédients solides dans une assiette creuse ou un bol. Arroser un peu à l'avance avec du lait à température ambiante.

LES SOUPES

Les soupes peuvent être des plats super-fibres. Bien venues les jours froids, elles peuvent aussi être appréciées pendant les jours chauds (nous en donnons une recette). Les recettes ci-dessous sont de vraies soupes, copieuses. Ce sont presque des plats-repas. Elles dispensent, en tout cas, d'un plat de légumes cuits.

POTAGE PRINTANIER

Par portion : Calories : 205 ; Fibres : 11,33 g

500 g de carottes
300 g de navets
300 g de petits pois épluchés
250 g de haricots verts
la moitié d'un chou-fleur
1 litre d'eau
Persil
sel
poivre.

— Retirer les fils des haricots verts. Les laver. Les couper en petits morceaux.
— Laver et brosser carottes et navets sous l'eau courante. Retirer les parties dures, couper en bâtonnets. Laver le chou-fleur et le diviser en petits bouquets.
— Plonger tous les légumes dans 1,250 l d'eau bouillante. Laisser cuire 30 minutes. Saler, poivrer.
— Verser dans une soupière et saupoudrer de persil haché.

SOUPE D'EPINARDS AU SAFRAN

Par portion : Calories : 129 ; Fibres : 17,9 g

800 g d'épinards
300 g de pommes de terre
1 oignon
1 gousse d'ail
thym
laurier
1/2 cuillerée à café de safran
sel
poivre
150 g de pain complet rassis

— Retirer les queues des épinards. Laver. Faire cuire 5 minutes à l'eau bouillante salée. Egoutter. Conserver l'eau de cuisson. Passer les épinards au mixer.
— Laver soigneusement les pommes de terre. Les faire cuire en robe des champs (voir page 116).
— Eplucher, laver et émincer l'oignon. Eplucher et hacher la gousse d'ail.
— Couper le pain entier rassis en tranches très fines. Les disposer au fond d'un poêlon en terre. Disposer par-dessus les pommes de terre cuites et, elles aussi, coupées en tranches aussi minces que possible (avec la peau).
— Mélanger les épinards hachés, l'oignon et l'ail. Verser sur les pommes de terre. Faire dissoudre le safran dans une petite quantité de l'eau de cuisson des épinards. Délayer encore jusqu'à ce qu'il y ait suffisamment de liquide pour couvrir largement les légumes. Verser par-dessus. Parsemer de thym effeuillé et de laurier coupé en petits morceaux. Faire mijoter au four pendant 10 minutes.

MINESTRONE

Par portion : Calories : 225 ; Fibres : 17,57 g

---

200 g de haricots écossés
150 g de petits pois écossés

500 g de tomates
3 oignons moyens
200 g de pommes de terres
1 petit céleri en branche
200 g de haricots verts
la moitié d'un chou vert
ciboulette
persil
sel
poivre

— Retirer les fils des haricots verts. Laver. Couper en petits morceaux. Retirer le trognon du chou. Laver, égoutter. Couper en lanières. Nettoyer et laver le céleri et le couper en bâtonnets. Brosser les pommes de terre sous l'eau courante. Eplucher, laver, émincer les oignons. Laver les tomates et les couper en quartiers.
— Plonger petits pois et haricots dans 2 litres d'eau bouillante. Laisser cuire 15 minutes. Ajouter les légumes, sauf tomates et pommes de terre. Laisser mijoter pendant 1 h 15.
— Ajouter pommes de terre et tomates et achever la cuisson pendant 20 minutes.
— Avant de servir, retirer les pommes de terre à l'écumoire et les couper en morceaux.
— Mettre dans une soupière. Verser la soupe par-dessus. Saupoudrer de persil et ciboulette hachés.

SOUPE AUX POIS

Par portion : Calories : 202 ; Fibres : 12,85 g

---

300 g de petits pois écossés
120 g de pois cassés
1 carotte
1 oignon
2 clous de girofle
1 branche de céleri
bouquet garni

persil
cerfeuil
sel
poivre

— Brosser la carotte sous l'eau courante. Retirer les parties dures. Eplucher et laver l'oignon. Le piquer de clous de girofle. Laver les pois cassés.
— Les mettre dans une cocotte avec 1 litre d'eau salée, la carotte, l'oignon et le bouquet garni. Faire cuire 1 h 30.
— Rajuster le niveau avec de l'eau bouillante et ajouter les petits pois et la branche de céleri. Laisser cuire encore 40 minutes.
— Passer les légumes à la moulinette ou au mixer. Ajouter la quantité de liquide nécessaire pour un potage moelleux.
— Poivrer. Saupoudrer de persil et de cerfeuil hachés.

SOUPE D'AUTOMNE

Par portion : Calories : 258 ; Fibres : 18,37 g

---

500 g de citrouille
la moitié d'un beau chou vert
3 navets
3 carottes
300 g de pommes de terre
2 tomates
200 g de haricots verts
200 g de haricots blancs écossés
sel
poivre

— Nettoyer et laver le chou. Le blanchir 3 minutes à l'eau bouillante salée. Egoutter. Couper en lanières.
— Brosser carottes, navets et pommes de terre sous l'eau courante. Retirer les parties dures des premiers et les couper en bâtonnets. Découper la citrouille en gros cubes.
— Laver les tomates et les couper en quartiers. Retirer les fils des haricots verts. Laver. Couper en deux.

— Faire cuire tous ces légumes, sauf les pommes de terre, dans 1,5 l d'eau bouillante salée pendant 40 minutes. Ajouter les pommes de terre et laisser cuire encore 20 minutes.
— Retirer les pommes de terre à l'aide d'une écumoire. Les couper en tranches. Mettre dans le fond d'une soupière. Verser le restant de la soupe par-dessus. Poivrer.

GASPACHO

Par portion : Calories : 169 ; Fibres : 7,18 g

3 poivrons verts
3 belles tomates
1 oignon
2 gousses d'ail
150 g de pain complet rassis
2 yaourts nature
estragon ou basilic
sel

— Emietter le pain rassis. Eplucher et laver l'oignon. L'émincer.
— Passer les poivrons au four. Quand ils sont bien grillés, les couper en deux. Retirer les graines et hacher.
— Eplucher l'ail. Laver les tomates et les couper en quartiers. Les piler avec l'ail. Ajouter l'estragon haché.
— Mélanger tous ces ingrédients. Arroser avec 0,500 l de bouillon froid. Saler.
— Ajouter les yaourts. Mélanger. Mettre au frais. Servir très frais.

SOUPE AUX CHOUX

Par portion : Calories : 224 ; Fibres : 10,2 g

2 petits choux verts

200 g de pain complet rassis
4 cuillerées à soupe de parmesan râpé
sel

— Nettoyer les choux. Les laver. Les effeuiller. Blanchir 5 minutes à l'eau bouillante salée. Egoutter.
— Faire cuire à nouveau dans 2 litres d'eau bouillante salée. Egoutter et conserver l'eau de cuisson.
— Couper le pain rassis en tranches très fines.
— Dans un poêlon de terre faire alterner des couches de feuilles de chou et des couches de tranches de pain en intercalant un peu de parmesan râpé à chaque fois. Verser lentement le bouillon par-dessus. Mettre au four 5 minutes.

BORTSCH

Par portion : Calories : 329 ; Fibres : 18,86 g

la moitié d'un chou blanc
2 poireaux
300 g de céleri-rave
300 g de navets
500 g de carottes
250 g de betterave rouge cuite
200 g de haricots blancs cuits (ou en conserve)
150 g de pain complet rassis
sel
poivre

— Laver soigneusement les carottes, les navets, le céleri rave. Couper les premiers en rondelles, le dernier en cubes.
— Nettoyer le chou. Le laver. Le blanchir 5 minutes à l'eau bouillante salée. Egoutter. Couper en lanières.
— Laver et émincer les poireaux
— Mettre cuire à l'eau bouillante salée les carottes, les navets et le céleri. Au bout de 35 minutes, ajouter le chou, les poireaux, la betterave coupée en petits cubes et les haricots. Laisser cuire encore 15 minutes. Poivrer en fin de cuisson.

SOUPE PIQUANTE

Par portion : Calories : 329 ; Fibres : 16,65 g

400 g de pommes de terre cuites en robe des champs
2 aubergines
2 courgettes
2 oignons
1 petit piment
1 gousse d'ail
50 g d'amandes mondées
1/2 cuillerée à café de curry
1 petit morceau de racine de gingembre
sel

— Eplucher la gousse d'ail. L'écraser avec les amandes, le piment, le curry et une pincée de sel.
— Râper la racine de gingembre (1 cuillerée à soupe environ).
— Eplucher, laver et émincer les oignons. Retirer le pédoncule des aubergines et des courgettes. Les laver et les couper en gros morceaux.
— Verser un demi-verre d'eau dans le fond d'une cocotte à revêtement antiadhésif. Ajouter les oignons émincés. Porter à ébullition. Lorsque toute l'eau s'est évaporée, ajouter les épices. Remuer.
— Ajouter 1,250 l d'eau bouillante, puis les légumes. Couvrir et laisser cuire pendant 30 minutes environ.
— Réchauffer dans ce bouillon les pommes de terre coupées en tranches fines. Servir chaud.

SOUPE DE LEGUMES AUX POIS CASSES

Par portion : Calories : 199 ; Fibres : 14,5 g

300 g de carottes

250 g de navets
100 g de pois cassés
300 g de pommes de terre

— Laver les pois cassés. Les mettre dans une cocotte avec 1,5 l d'eau froide et amener doucement à ébullition. Laisser cuire 45 minutes environ.

— Laver les navets, les carottes et les pommes de terre. Couper en tranches et ajouter aux pois cassés.

— Laisser cuire encore 40 minutes environ. Passer au mixer. Servir très chaud.

SOUPE AUX LENTILLES

Par portion : Calories : 172 ; Fibres : 6,48 g

150 g de lentilles
2 oignons
2 carottes
1 gousse d'ail
sel
poivre

— Laver les lentilles. Les mettre dans une cocotte avec 1,5 l d'eau froide. Porter à ébullition et laisser cuire environ 45 minutes.

— Eplucher l'oignon et la gousse d'ail. Emincer l'oignon. Laver soigneusement les carottes et les couper en tranches.

— Ajouter aux lentilles et laisser cuire tout doucement pendant 45 Minutes. Passer au mixer. Saler, poivrer.

SOUPE DE LENTILLES AU POULET

Par portion : Calories : 324 ; Fibres : 6,8 g

4 blancs de poulet cuits
100 g de lentilles
500 g de poireaux
sel
poivre

— Laver les lentilles. Les mettres dans une cocotte avec 1,5 l d'eau froide. Porter à ébullition. Laisser cuire 1 heure environ.

— Laver et émincer les poireaux. Couper les blancs de poulet en lamelles.

— Ajouter les poireaux aux lentilles. Laisser cuire encore 40 minutes environ. Passer au mixer. Saler, poivrer.

— Ajouter les lamelles de poulet. Donner un bouillon.

LES CRUDITES

Les crudités sont toujours appréciées en début de repas. C'est d'ailleurs à l'état cru que les légumes et les fruits sont au maximum de leur valeur vitaminique. Il est indispensable de très bien les laver avant de les assaisonner. De préférence à l'eau courante, sans les faire tremper, pour éviter la dissolution dans l'eau de certaines vitamines, notamment la vitamine C.

Les sauces que nous vous proposons, à base de yaourt nature (1,5 % de lipides) ou d'huile de paraffine, n'apportent pratiquement pas de Calories.

Ces entrées ne représentent qu'une petite part de votre « ration » quotidienne de fibres alimentaires. Mais il est toujours possible de leur ajouter un peu de son (il « passe » très bien dans ces mélanges) : 1/2 à 1 cuillerée à soupe apporte environ 1,1 à 2,2 g de fibres.

SALADE DE CHOU-FLEUR CRU

Par portion : Calories : 58 ; Fibres : 3,44 g

400 g de chou-fleur
1/2 botte de cresson
1 citron
1 yaourt nature
1 cuillerée à café de moutarde
sel

— Eplucher le chou-fleur. Le laver très soigneusement. Diviser en tout petits bouquets et sécher sur du papier absorbant.
— Laver et sécher le cresson.
— Mélanger le yaourt et la moutarde. Saler. Délayer avec le jus du citron.
— Mettre le cresson au fond d'un plat creux. Disposer les bouquets de chou-fleur par-dessus. Recouvrir de sauce.

SALADE MULTICOLORE

Par portion : Calories : 72 ; Fibres : 4,61 g

4 cœurs de laitue
200 g de carottes
1/2 concombre
100 g de cresson
2 branches de céleri
1 citron
1 yaourt nature
1 cuillerée à café de moutarde
sel
poivre

— Laver le concombre. Le couper en tranches minces. Saupoudrer de sel fin et laisser dégorger pendant 1/2 heure. Egoutter. Sécher sur un papier absorbant.
— Laver la laitue et le cresson. Egoutter. Sécher. Couper les feuilles de laitue en chiffonnade.
— Nettoyer, laver, sécher, hacher les branches de céleri.
— Laver, sécher et râper les carottes.
— Préparer la sauce comme dans la recette ci-dessus.
— Disposer les légumes dans un plat creux en faisant alterner couleurs et formes. Recouvrir de sauce.

SALADE REINETTE

Par portion : Calories : 34 ; Fibres : 4,71 g

500 g de carottes
1 petit bulbe de fenouil
2 petites pommes
1 citron
2 cuillerées à soupe d'huile de paraffine

cerfeuil
sel
poivre

— Laver et râper les carottes. Oter les partie dures du fenouil. Laver, sécher et hacher soigneusement.
— Laver les pommes. Les sécher sur du papier absorbant. Les couper en minces lamelles. Arroser d'un peu de jus de citron pour qu'elles restent bien blanches.
— Faire une vinaigrette avec le restant du citron, l'huile de paraffine, sel et poivre.
— Disposer les légumes dans un petit saladier. Arroser de sauce et saupoudrer de cerfeuil haché.

CHOUX PANACHES

Par portion : Calories : 45 ; Fibres : 4,1 g

---

300 g de chou vert
200 g de chou rouge
1 citron
1 cuillerée à café de moutarde
2 cuillerées à soupe d'huile de paraffine
sel
poivre

— Laver les deux choux. Les sécher sur du papier absorbant. Les râper séparément.
— Faire une vinaigrette avec le jus du citron, la moutarde, l'huile de paraffine, sel et poivre.
— Disposer le chou vert sur un plat. Disposer le chou rouge tout autour. Arroser de sauce.

SALADE RACHEL

Par portion : Calories : 63 ; Fibres : 4,26 g

---

400 g d'endives (3 endives pas trop grosses)
2 petites pommes
100 g de betterave rouge cuite
50 g de céleri-rave
2 cuillerées à café de vinaigre
2 cuillerées à soupe d'huile de paraffine
1 cuillerée à café de moutarde
sel
poivre
paprika

— Retirer la base amère des endives. Laver et sécher sur un papier absorbant.
— Couper la betterave en petits cubes.
— Laver, sécher et râper le céleri.
— Faire une vinaigrette avec la moutarde, le vinaigre, l'huile de paraffine, sel et poivre.
— Dans un saladier, disposer les endives, les cubes de betterave et le céleri râpé. Arroser de sauce.
— Laver et sécher les pommes. Les couper en fines lamelles et les ajouter au fur et à mesure à la salade. Mélanger. Saupoudrer de paprika.

SALADE D'EPINARDS CRUS

Par portion : Calories : 49 ; Fibres : 5,86 g

300 g d'épinards
1 petite poignée d'oseille
2 petites tomates
1 yaourt nature
1 citron

— Laver très soigneusement les épinards et l'oseille. Egoutter. Finir de sécher sur un papier absorbant. Couper finement.
— Laver les tomates. Les essuyer. Les couper en tranches.
— Faire une vinaigrette en délayant le yaourt avec le jus de citron salé et poivré.

— Mettre les légumes dans un saladier et arroser de sauce. Bien mélanger.

SALADE DE TOMATES A LA MENTHE

Par portion : Calories : 92 ; Fibres : 2,9 g

500 g de tomates
1 petit bouquet de menthe fraîche
1 yaourt nature
40 g de cacahuètes
1 citron
sel
poivre

— Saler et poivrer le jus du citron. Ajouter peu à peu le yaourt.
— Laver et essuyer les tomates. Les couper en tranches. Mettre dans un saladier et recouvrir de menthe fraîche grossièrement hachée. Arroser de sauce.
—Parsemer de cacahuètes hachées. Mélanger.

CAROTTES RAPEES AUX BANANES

Par portion : Calories : 77 ; Fibres : 3,37 g

400 g de carottes
1 banane de taille moyenne
1 yaourt nature
30 g d'amandes
1 citron
sel
poivre

— Préparer la sauce comme ci-dessus.
— Laver soigneusement et râper les carottes. Couper la banane en

tranches minces.
— Mettre dans un saladier. Ajouter les amandes râpées finement. Arroser de sauce. Mélanger.

SALADE CAROTTES-CELERI

Par portion : Calories : 83 ; Fibres : 2,86 g

200 g de carottes
200 g de céleri-rave
50 g de raisins secs
1 citron
2 cuillerées à soupe d'huile de paraffine
1 cuillerée à café de moutarde
sel
poivre

— Laver et sécher soigneusement les carottes et le céleri. Les râper séparément. Verser un peu de jus de citron sur le céleri pour qu'il reste bien blanc.
— Faire une sauce avec la moutarde, le restant du jus de citron, l'huile de paraffine, sel et poivre.
— Disposer carottes et céleri dans un plat creux en jouant avec les couleurs. Parsemer de raisins secs. Arroser de sauce.

SALADE DE CHOU CRU AUX NOIX

Par portion : Calories : 116 ; Fibres : 3,28 g

le cœur d'un chou blanc (500 g environ)
1 pomme
80 g de cerneaux de noix
1 yaourt nature
1 citron

1 cuillerée à café de moutarde
sel
poivre

— Nettoyer et laver le chou. Le sécher sur un papier absorbant. Le découper en fines lanières.
— Hacher grossièrement les cerneaux de noix
— Mélanger jus de citron, sel, poivre, moutarde. Délayer peu à peu avec le yaourt.
— Laver soigneusement la pomme et l'essuyer.
— Mettre les lanières de chou dans un saladier. Recouvrir de sauce. Découper la pomme en petits dés en les ajoutant au fur et à mesure dans le saladier. Saupoudrer avec les noix hachées. Mélanger.

SALADE DE MACHE AUX NOISETTES

Par portion : Calories : 109 ; Fibres : 4,35 g

300 g de mâche
50 g de noisettes décortiquées
1 cuillerée à soupe de vinaigre
1 cuillerée à café de moutarde
2 cuillerées à soupe d'huile de paraffine
sel
poivre

— Laver très soigneusement la mâche. La sécher sur un papier absorbant. Hacher grossièrement les noisettes.
— Préparer la vinaigrette à l'huile de paraffine.
— Mettre la mâche dans un saladier. Recouvrir de noisettes hachées et arroser de sauce. Mélanger.

CAROTTES AU PAMPLEMOUSSE

Par portion : Calories : 74 ; Fibres : 3 g

400 g de carottes
1 pamplemousse
1 citron
1 yaourt nature
sel
poivre
poivre de Cayenne

— Laver, sécher et râper les carottes.
— Retirer la grosse peau du pamplemousse. Le couper en petits morceaux à vif, en recueillant le jus.
— Mélanger ce jus et celui du citron. Saler, poivrer et ajouter un peu de poivre de Cayenne. Délayer peu à peu avec le yaourt.
— Mettre dans un saladier les carottes râpées et les morceaux de pamplemousse. Arroser de sauce. Mélanger.

LES OMELETTES ET OEUFS BROUILLES

L'œuf est le plus équilibré de tous les aliments protéiques. Au point de servir de « protéine de référence ». C'est aussi une très bonne source de vitamine A et de fer. Il ne faut pas en abuser cependant à cause de sa teneur un peu élevée en cholestérol. 4 à 5 œufs par semaine représentent une bonne fréquence.

On peut préparer des œufs au plat, des œufs mollets, des œufs pochés et les servir sur une purée de légumes verts. Mais l'omelette constitue une présentation savoureuse. Et on peut lui ajouter quelques légumes. Toutes les recettes suivantes sont préparées dans une poêle à revêtement antiadhésif, ce qui permet de ne pas utiliser de corps gras. Il suffit de bien préchauffer la poêle pour que la préparation n'attache pas.

OEUFS BROUILLES AUX POINTES D'ASPERGES

Par portion : Calories : 153 ; Fibres : 4,2 g

8 œufs
300 g de petites asperges en conserve
sel
poivre

— Réchauffer les asperges dans leur jus. Egoutter. Découper en petits morceaux. Tenir au chaud.
— Battre les œufs en omelette. Leur ajouter 1 cuillerée à soupe de lait écrémé. Saler, poivrer.
— Faire épaissir au bain-marie sans cesser de tourner pour qu'ils restent crémeux. Ajouter les asperges. Mélanger.

OMELETTE A L'AUBERGINE

Par portion : Calories : 133 ; Fibres : 4,6 g

6 œufs
800 g d'aubergines
1 échalote
sel
poivre

— Eplucher et émincer l'échalote
— Laver les aubergines. Retirer les pédoncules et couper en petits morceaux.
— Faire chauffer une poêle à revêtement antiadhésif. Y faire revenir les aubergines avec une cuillerée à soupe d'eau. Au bout de 5 minutes, saler, poivrer et ajouter l'échalote. Laisser cuire jusqu'à ce que toute l'eau de constitution des aubergines se soit évaporée.
— Battre les œufs en omelette. Saler et poivrer. Verser sur les aubergines. Faire cuire comme une omelette normale mais sans replier. Glisser sur un plat.

OMELETTE AU POTIRON

Par portion : Calories : 113 ; Fibres : 2,18 g

---

6 œufs
500 g de potiron
50 g de pain complet rassis
sel
poivre
noix muscade

— Retirer la peau et les pépins du potiron. Découper en petits cubes.
— Mettre le pain rassis à tremper dans un peu de lait écrémé.
— Dans une poêle à revêtement antiadhésif, mettre les morceaux de potiron à cuire avec une cuillerée à soupe d'eau jusqu'à ce qu'ils aient pris l'apparence d'une pâte. Ajouter le pain bien essoré. Saler, poivrer et râper un peu de noix muscade.
— Battre les œufs. Saler, poivrer. Verser le potiron. Mélanger rapidement avec une cuiller en bois. Laisser cuire comme une omelette normale, sans replier. Glisser sur un plat.

OMELETTE AU MAIS

Par portion : Calories : 135 ; Fibres : 3,9 g

6 œufs
200 g de maïs doux en conserve bien égoutté
150 g de petits pois cuits
sel
poivre

— Réchauffer le maïs et les petits pois. Egoutter.
— Battre les œufs. Saler, poivrer.
— Chauffer une poêle à revêtement antiadhésif. Y verser les œufs battus. Dès qu'ils commencent à prendre, verser par-dessus le mélange maïs+petits pois. Remuer légèrement avec une cuiller en bois.
— Laisser la cuisson se terminer normalement. Plier et glisser sur un plat.

OMELETTE AUX LEGUMES

Par portion : Calories : 131 ; Fibres : 4,65 g

6 œufs
1 oignon
1 poivron vert
200 g de haricots blancs cuits
sel
poivre
fines herbes

— Eplucher, laver et émincer l'oignon. Laver le poivron. Retirer le pédoncule et les graines et couper en fines lanières.
— Faire revenir dans une poêle à revêtement antiadhésif bien chaude. Ajouter les haricots.
— Battre les œufs. Saler, poivrer et verser par-dessus les légumes. Remuer rapidement avec une cuiller en bois. Faire cuire comme

une omelette normale mais sans replier.
— Saupoudrer de fines herbes hachées. Glisser sur un plat.

OMELETTE PROVENÇALE

Par portion : Calories : 104 ; Fibres : 3,74 g

6 œufs
1 poivron vert
1 poivron rouge
1 oignon
1 gousse d'ail
200 g d'épinards
persil
sel
poivre

— Eplucher et hacher l'ail et l'oignon. Laver et sécher les poivrons. Retirer les pédoncules et les pépins et couper en fines lanières. Laver les épinards.
— Mettre tous ces légumes dans une sauteuse à revêtement antiadhésif avec une cuillerée à soupe d'eau. Remuer. Laisser cuire jusqu'à l'obtention d'une sorte de purée. Saler, poivrer. Saupoudrer de persil haché.
— Battre les œufs. Leur ajouter la purée de légumes.
— Chauffer une poêle à revêtement antiadhésif. Y verser le mélange ci-dessus. Faire cuire comme une omelette normale en secouant de temps en temps. Glisser sur un plat.

OMELETTE AUX COURGETTES

Par portion : Calories : 121 ; Fibres : 1,9 g

6 œufs
500 g de courgettes

200 g de tomates
1 oignon
sel
poivre

— Laver et essuyer les courgettes et les tomates. Retirer les pédoncules des courgettes. Les couper en tranches. Couper les tomates en quartiers. Eplucher, laver et émincer l'oignon.
— Faire revenir courgettes et tomates dans une poêle à revêtement antiadhésif. Ajouter les oignons. Laisser cuire jusqu'à ce que toute l'eau de constitution se soit évaporée.
— Battre les œufs. Saler, poivrer. Verser sur les légumes. Remuer rapidement avec une cuiller en bois. Laisser cuire comme une omelette normale sans replier. Glisser sur un plat.

PIPERADE

Par portion : Calories : 173 ; Fibres : 4,17 g

---

8 œufs
750 g de tomates
1 aubergine
1 oignon
1 gousse d'ail
1 poivron rouge
sel
poivre

— Eplucher, laver et émincer l'oignon. Eplucher la gousse d'ail. Laver et sécher tomates et aubergines. Retirer les pédoncules. Couper en morceaux pas trop gros.
— Laver le poivron. Retirer le pédoncule et les pépins. Couper en lanières.
— Faire revenir dans une poêle à revêtement antiadhésif. Couvrir. Laisser mijoter pendant 45 minutes environ. Retirer la gousse d'ail. Saler, poivrer.
— Battre les œufs. Verser sur les légumes. Laisser cuire en remuant souvent.

OMELETTE A L'OSEILLE

Par portion : Calories : 125 ; Fibres : 4,3 g

6 œufs
250 g d'oseille
1 oignon
sel, poivre

Eplucher, laver l'oseille. La blanchir 5 minutes à l'eau bouillante salée. Egoutter.
— Eplucher, laver et émincer l'oignon.
— Faire revenir les légumes dans une poêle à revêtement anti-adhésif.
— Battre les œufs. Saler, poivrer. Verser sur les légumes. Remuer rapidement avec une cuiller en bois.
— Faire cuire comme une omelette normale, sans replier. Glisser sur un plat.

OMELETTE FROIDE AU VERT

Par portion : Calories : 120 ; Fibres : 5,9 g

6 œufs
300 g d'oseille, 200 g d'épinards
1 bouquet de persil, ciboulette, cerfeuil
sel, poivre

— Nettoyer et laver l'oseille et les épinards. Egoutter. Blanchir 5 minutes à l'eau bouillante salée. Egoutter. Mettre dans une sauteuse à revêtement antiadhésif avec le persil et la ciboulette hachés.
— Battre les œufs. Ajouter 2 cuillerées à soupe d'eau. Saler, poivrer. Ajouter les légumes et du cerfeuil haché.
— Verser dans une poêle chaude à revêtement antiadhésif. Laisser cuire à feu moyen en secouant la poêle pour que l'omelette n'attache pas.
— Plier en deux. Couvrir la poêle et laisser 3 minutes, feu éteint. Glisser sur un plat et laisser refroidir.

OMELETTE AUX CROUTONS

Par portion : Calories : 153 ; Fibres : 2,1 g

6 œufs
150 g de pain complet rassis sans la croûte
10 g de corps gras à 41 %
persil
sel, poivre

— Faire griller le pain complet au grille-pain. Le découper en petits cubes.
— Battre les œufs. Saler, poivrer. Ajouter le corps gras fondu, le persil haché et les petits croûtons.
— Verser dans une poêle chaude à revêtement antiadhésif.
— Faire cuire en secouant la poêle pour que l'omelette n'attache pas. Replier. Glisser sur un plat.

OMELETTE AUX GIROLLES

Par portion : Calories : 96 ; Fibres : 2 g

6 œufs
250 g de girolles
1 gousse d'ail, ciboulette
sel, poivre

— Nettoyer les girolles. Couper en morceaux. Faire étuver doucement à la poêle jusqu'à ce qu'elles aient rendu leur eau.
— Eplucher et hacher l'ail. Hacher la ciboulette.
— Battre les œufs. Saler, poivrer. Ajouter les girolles, l'ail et la ciboulette hachés.
— Verser dans une poêle chaude à revêtement antiadhésif. Laisser cuire sans cesser de secouer la poêle pour que l'omelette n'attache pas. Replier. Servir aussitôt.

LES POMMES DE TERRE EN ROBE DES CHAMPS

Toutes les recettes ci-dessous contiennent 100 g de pommes de terre (une pomme de terre de la taille d'un gros œuf ou la moitié d'une pomme de terre plus grosse) par personne. Ce qui représente un apport de 90 Calories et de 7 g de fibres — à condition de consommer la peau. Ce qui n'est pas difficile lorsque les pommes de terre sont correctement cuites (à l'eau, à la vapeur, en autocuiseur ou au four). C'est d'ailleurs cuites dans leur peau qu'elles conservent le mieux leurs qualités minérales et surtout vitaminiques. La pomme de terre est, en effet, une source non négligeable de vitamine C (20 mg pour 100 g de pommes de terre nouvelles, 5 mg pour 100 g en fin de saison). Les pommes de terre en robe des champs peuvent être consommées seules accompagnées de corps gras à 41 % de m.g. (dans les limites autorisées) ou d'une sauce au fromage blanc, servir d'accompagnement, ou entrer dans une salade, un gratin...

POMMES DE TERRE EN ROBE DES CHAMPS

Par portion : Calories : 90 ; Fibres : 7 g

400 g de pommes de terre
1 cuillerée à soupe de gros sel

— Brosser soigneusement les pommes de terre sous l'eau courante. Essuyer.
— Faire cuire à l'eau bouillante salée pendant 15 à 20 minutes.
— Egoutter. Déposer pendant 10 minutes environ dans un four moyen pour bien sécher la peau.

POMMES DE TERRE AU TORCHON

Par portion : Calories : 90 ; Fibres : 7 g

400 g de pommes de terre
1 cuillerée à soupe de gros sel
bouquet garni

— Brosser soigneusement les pommes de terre sous l'eau courante. Essuyer.
— Disposer au fond d'une cocotte en fonte épaisse. Ajouter un verre d'eau froide, le gros sel et le bouquet garni.
— Poser par-dessus un torchon en toile épaisse mouillé et essoré et plié de manière à tenir dans la cocotte. Tasser soigneusement.
— Couvrir et laisser cuire à feu doux pendant 45 à 50 minutes.

Lorsqu'elles doivent être utilisées pour la confection d'un plat, les pommes de terre en robe des champs et les pommes de terre au torchon seront mises à refroidir. Pour l'emploi en salades, il est préférable de les utiliser tièdes. Les couper en tranches sur une planche avec un couteau bien aiguisé pour éviter de déchirer la peau.

SAUCE MAITRE D'HOTEL

Par portion : Calories : 46

---

50 g de corps gras à 41 %
le jus d'un citron
persil haché
sel
poivre

— Faire fondre le corps gras au bain-marie ou sur feu très doux. Ajouter le jus de citron, le persil haché, sel et poivre.
— Servir en saucière pour accompagner des pommes de terre en robe des champs ou des pommes de terre au torchon, éventuellement des pommes de terre au four.

SAUCE A L'AIL

Par portion : Calories : 22

---

10 gousses d'ail
0,200 l de lait écrémé
1/2 cuillerée à café de maïzéna ou de fécule de pomme de terre
sel
poivre

— Eplucher les gousses d'ail. Les blanchir 5 minutes à l'eau bouillante. Egoutter. Piler au mortier comme pour un aïoli.
— Délayer la maïzéna dans un peu de lait froid. Faire chauffer le restant du lait dans une casserole à revêtement antiadhésif. Verser la maïzéna délayée. Ajouter l'ail écrasé. Faire épaissir sur feu doux sans cesser de remuer. Saler, poivrer.
— On peut battre au fouet en fin de cuisson pour rendre plus onctueux.
Même emploi que la sauce maître d'hôtel.

SALADE FERMIERE

Par portion : Calories : 152 ; Fibres : 9,61 g

400 g de pommes de terre
1/2 botte de cresson
1 petit oignon
150 g de fromage blanc
2 petites oranges
1 citron
quelques feuilles de laitue
sel
poivre

— Faire cuire les pommes de terre selon l'une des deux méthodes ci-dessus. Laver et égoutter soigneusement laitue et cresson. Eplucher et laver l'oignon. Le détailler en anneaux.
— Eplucher les oranges et les couper à vif en recueillant le jus. Ajouter à ce jus le jus du citron. Saler, poivrer.
— Dans un saladier, disposer les pommes de terre coupées en tranches, les feuilles de laitue, le cresson, les morceaux d'orange. Arroser du jus assaisonné. Recouvrir avec le fromage blanc. Mélanger.

SALADE MENAGERE

Par portion : Calories : 263 ; Fibres : 7 g

400 g de pommes de terre
250 g de reste de bœuf bouilli
2 cuillerées à soupe d'huile de tournesol
1 cuillerée à soupe d'huile de paraffine
1 cuillerée à soupe de vinaigre
1 petit oignon
persil
estragon
sel, poivre

— Faire cuire les pommes de terre selon l'une des deux méthodes ci-dessus. Laisser refroidir. Couper en tranches.
— Emincer le bœuf bouilli.
— Eplucher, laver et émincer l'oignon. Hacher persil et estragon.
— Dans le fond d'un saladier, disposer les rondelles de pommes de terre et les petits morceaux de bœuf. Saupoudrer d'oignon émincé, de persil et d'estragon hachés. Arroser de vinaigrette. Mélanger.

SALADE DE POMMES DE TERRE AU CHOU

Par portion : Calories : 118 ; Fibres : 9,6 g

400 g de pommes de terre
la moitié d'un petit chou blanc
la moitié d'un petit bulbe de fenouil
1 yaourt nature
1 cuillerée à soupe d'huile
1 cuillerée à café de moutarde
sel
poivre

— Faire cuire les pommes de terre selon l'une des deux méthodes ci-dessus. Laisser refroidir. Couper en tranches.

— Laver soigneusement le chou. Couper les feuilles en minces lanières. Laver le fenouil et l'émincer soigneusement.
— Préparer la sauce en mélangeant yaourt et moutarde. Ajouter le fenouil émincé. Délayer avec l'huile. Saler et poivrer.
— Disposer les lanières de chou dans le fond d'un saladier. Recouvrir de rondelles de pommes de terre. Arroser de sauce. Mélanger.

GRATIN DU PECHEUR

Par portion : Calories : 235 ; Fibres : 7 g

400 g de pommes de terre
4 gros filets de merlan
1 citron
1/2 verre de vin blanc
2 cuillérées à soupe d'huile
sel
poivre

— Faire cuire les pommes de terre selon l'une des deux méthodes ci-dessus sans aller tout à fait au bout de la cuisson. Laisser tiédir. Couper en tranches épaisses.
— Pocher les filets de merlan dans un court-bouillon au citron. Egoutter. Effeuiller le poisson.
— Dans un plat à four légèrement graissé, disposer la moitié des tranches de pommes de terre, puis le poisson, puis la fin des pommes de terre. Arroser avec le restant de l'huile et le vin blanc. Saler, poivrer.
— Faire cuire à four chaud pendant 20 minutes environ.

POMMES DE TERRE AU FOUR

Par portion : Calories : 90 ; Fibres : 7 g

4 pommes de terre de 100 g environ
4 carrés d'aluminium ménager

— Brosser soigneusement les pommes de terre sous l'eau courante. Les essuyer soigneusement. Enfermer dans un carré d'aluminium.
— Faire cuire à four chaud pendant 40 minutes environ.
— Servir dans la papillote. On fendra le dessus pour introduire un petit morceau de corps gras à 41 % ou l'une des sauces ci-dessous.

SAUCE A LA MOUTARDE

Par portion : Calories : 39

1 jaune d'œuf dur
1 cuillerée à café de moutarde forte
2 yaourts nature
persil haché
sel
poivre

— Piler et écraser soigneusement le jaune d'œuf dur et la moutarde en mélangeant bien.
— Délayer peu à peu avec les yaourts pour obtenir une sauce onctueuse.
— Saler, poivrer. Ajouter le persil haché.

SAUCE AU ROQUEFORT

Par portion : Calories : 104

150 g de fromage blanc à 0 % de m.g.
60 g de roquefort
2 jaunes d'œufs durs
1/2 cuillerée à café de moutarde forte
sel

— Ecraser les jaunes d'œufs durs avec le roquefort et la moutarde.
— Battre le fromage blanc jusqu'à ce qu'il soit bien onctueux. L'utiliser pour délayer peu à peu le mélange précédent.

— Saler légèrement.

SAUCE AU FROMAGE BLANC

Par portion : Calories : 15

150 g de fromage blanc à 0 % de m.g.
sel
poivre
fines herbes hachées (persil et estragon ou persil et ciboulette ou persil et cerfeuil).

— Battre le fromage blanc jusqu'à ce qu'il soit bien onctueux. Saler et ajouter les fines herbes hachées.

OEUFS AU NID

Par portion : Calories : 193 ; Fibres : 7 g

2 grosses pommes de terre de 200 g environ chacune
4 œufs
30 g de corps gras à 41 %
sel
poivre

— Faire cuire les pommes de terre au four comme indiqué ci-dessus. Retirer la papillote d'aluminium.
— Couper les pommes de terre en deux. Retirer un peu de chair au centre à l'aide d'une petite cuiller. Déposez un œuf cassé. Saler, poivrer. Verser par-dessus un peu de corps gras fondu.
— Passer au four jusqu'à ce que les œufs soient cuits.

POMMES DE TERRE AU PAPRIKA

Par portion : Calories : 216 ; Fibres : 7 g

2 grosses pommes de terre de 200 g environ

50 g de corps gras à 41 %
60 g de parmesan râpé
paprika
sel

— Faire cuire les pommes de terre au four comme indiqué ci-dessus. Retirer la papillote d'aluminium.
— Couper en deux dans le sens de la hauteur.
— Retirer la majeure partie de la chair à l'aide d'une petite cuiller. Lui ajouter le corps gras, le fromage. Saler. Ajouter un peu de paprika.
— Remplir les demi-pommes de terre avec ce mélange. Placer dans un plat à four. Saupoudrer de paprika. Réchauffer 5 minutes à four chaud.

POMMES DE TERRE FARCIES

Par portion : Calories : 235 ; Fibres : 7 g

---

2 grosses pommes de terre de 200 g environ
2 œufs
1 tranche de jambon
30 g de corps gras à 41 %
30 g de gruyère râpé
sel
poivre

— Faire cuire les pommes de terre au four comme indiqué ci-dessus. Retirer la papillote d'aluminium.
— Couper en deux. Retirer la majeure partie de la chair avec une petite cuiller.
— Dans un saladier, mélanger la chair des pommes de terre avec le corps gras, le gruyère râpé, les œufs entiers et le jambon finement haché.
— Remplir les demi-pommes de terre de cette farce. Faire gratiner 5 minutes à four chaud.

LES LEGUMES VERTS

Les légumes représentent de bonnes sources de fibres. Peut-être pas aux 100 g, mais on en consomme facilement 200 à 300 g, quelquefois davantage. D'autant plus que, pour la plupart, ils n'apportent guère de Calories. Presque tous sont, par ailleurs, de bonnes sources de minéraux (fer, potassium...) et de vitamines (C, B1, carotène...). Ce qui doit être retenu. En effet, les Calories ne sont pas les seuls éléments nutritifs que les fibres font éliminer. En accélérant le transit digestif, elles empêchent aussi l'assimilation d'une certaine quantité de vitamines et de minéraux. Il est donc intéressant d'en consommer un peu plus.

Certains légumes peuvent être consommés crus (voir recettes page 101), mais pas tous. Quelques fibres sont trop dures pour être bien tolérées brutes (lignine, certaines celluloses) et la cuisson les attendrit. On préférera les cuissons à la vapeur ou dans un minimum d'eau bouillante (de préférence en autocuiseur) ou à l'étouffée. Un contact prolongé avec l'eau entraîne une dissolution des vitamines et minéraux.

Il n'est pas toujours nécessaire d'éplucher les légumes, surtout lorsqu'ils sont jeunes. Il suffit de les brosser sous l'eau courante. Mieux vaut cependant éliminer les fils des haricots verts et les fibres trop dures, par exemple celles des asperges. Elles sont mal tolérées et désagréables à consommer.

Beaucoup de légumes frais étant longs à éplucher, il est tout à fait logique de faire appel aux légumes en conserves et aux légumes surgelés qui suppriment ces opérations désagréables.

ARTICHAUTS AU RIZ

Par portion : Calories : 249 ; Fibres : 6,62 g

4 beaux artichauts
125 g de riz brun cuit
200 g de jambon
150 g de champignons de Paris

1 oignon
30 g de parmesan râpé
30 g de margarine
le jus d'un citron
sel
poivre

— Laver les artichauts. Couper la queue. Retirer les feuilles du tour si elles sont trop dures. Couper l'ensemble des feuilles à 3 cm environ du fond. Retirer les feuilles du centre et le foin. Faire cuire 5 minutes à l'eau bouillante légèrement salée et additionnée de jus de citron.

— Eplucher, laver et hacher l'oignon. Retirer le pied terreux des champignons. Les essuyer et les couper en lamelles.

— Hacher le jambon

— Faire fondre la margarine dans une sauteuse à revêtement antiadhésif. Y faire revenir les oignons, les champignons et le jambon. Ajouter le riz. Bien mélanger.

— Egoutter les artichauts. Les disposer dans un plat à four. Les remplir de farce. Saupoudrer de parmesan râpé. Verser 1 verre d'eau dans le fond du plat. Faire cuire à four chaud 40 minutes environ.

ARTICHAUTS FARCIS

Par portion : Calories : 206 ; Fibres : 8,4 g

4 fonds d'artichauts cuits
2 tranches de jambon
150 g de fromage blanc à 0 % de m.g.
50 g de gruyère râpé
1 œuf
persil
sel
poivre

— Hacher finement le jambon.

— Battre le fromage blanc jusqu'à ce qu'il soit onctueux. Lui ajouter le jambon haché, l'œuf entier, les 2/3 du gruyère râpé, les herbes hachées. Saler, poivrer.

— Disposer les fonds d'artichauts dans un plat à four. Les recouvrir du mélange précédent. Verser 3 cuillerées à soupe d'eau dans le fond du plat. Saupoudrer avec le restant du gruyère râpé. Faire cuire à four chaud pendant 15 à 20 minutes.

ASPERGES SAUCE MOUSSELINE

Par portion : Calories : 108 ; Fibres : 3,5 g

1 kilo d'asperges
180 g de fromage blanc à 0 % de m.g.
2 jaunes d'œufs durs
1 blanc d'œuf
1 cuillerée à soupe de moutarde
jus de citron
sel
poivre

— Gratter et laver les asperges. Les ficeler en petits paquets. Les faire cuire 20 minutes environ à l'eau bouillante salée. Retirer avec une écumoire. Egoutter.
— Ecraser ensemble les jaunes d'œufs et la moutarde. Délayer avec un peu de jus de citron.
— Battre le fromage blanc pour le rendre onctueux. S'en servir pour délayer le mélange précédent. Saler, poivrer. Ajouter le blanc d'œuf battu en neige.
— Servir les asperges tièdes ou froides accompagnées de cette sauce.

ASPERGES SAUCE GRIBICHE

Par portion : Calories : 85 ; Fibres : 3,6 g

1 kilo d'asperges
1 cuillerée à soupe d'huile de tournesol
2 cuillerées à soupe de paraffine
1 cuillerée à soupe de vinaigre

1 cuillerée à café de moutarde
1 œuf dur
4 cornichons
persil
sel
poivre

— Préparer les asperges comme ci-dessus.
— Faire une vinaigrette. Lui ajouter l'œuf dur, les cornichons hachés et le persil coupé en tout petits morceaux, aux ciseaux.
— Servir les asperges tièdes ou froides accompagnées de cette sauce.

GATEAU D'AUBERGINES

Par portion : Calories : 200 ; Fibres : 6,72 g

800 g d'aubergines
100 g de pain complet rassis
2 œufs
0,250 l de lait écrémé
1 cuillerée à soupe d'huile d'olive
sel
poivre
noix muscade

— Emietter le pain rassis. Le recouvrir de lait.
— Retirer le pédoncule des aubergines. Les laver et les essuyer. Les couper en tranches. Ranger ces tranches au fur et à mesure dans une passoire à pieds en saupoudrant de sel fin. Laisser dégorger pendant 30 minutes. Essuyer.
— Faire chauffer l'huile dans une cocotte à revêtement antiadhésif. Y disposer les tranches d'aubergines. Couvrir. Laisser étuver pendant 30 à 40 minutes.
— Battre les œufs en omelette. Ajouter le lait. Saler, poivrer. Râper un peu de noix muscade.
— Egoutter et écraser les aubergines. Leur ajouter le pain trempé, puis la préparation précédente. Bien mélanger.
— Verser dans un plat à four et à faire cuire à four moyen pendant 40 minutes environ.

RATATOUILLE NIÇOISE

Par portion : Calories : 115 ; Fibres : 6,25 g

3 aubergines
3 courgettes
500 g de tomates
3 oignons
1 poivron vert
1 gousse d'ail
1 cuillerée à soupe d'huile d'olive
1 branche de thym
sel
poivre

— Oter le pédoncule des aubergines et des courgettes. Laver soigneusement et essuyer. Couper en tranches d'un bon centimètre d'épaisseur.
— Laver et essuyer les tomates et les couper en quartiers.
— Laver le poivron et le couper en lanières. Eplucher et laver les oignons. Les émincer.
— Faire chauffer l'huile dans une cocotte à revêtement antiadhésif. Y déposer les tomates et les oignons. Faire revenir.
— Ajouter les rondelles de courgettes, puis les rondelles d'aubergines, la gousse d'ail épluchée, les lanières de poivron et la branche de thym. Saler, poivrer. Ajouter un demi-verre d'eau.
— Couvrir et laisser mijoter à feu doux pendant 1 h 30 environ.

AUBERGINES CONFITES

Par portion : Calories : 92 ; Fibres : 4,6 g

800 g de petites aubergines
1 gousse d'ail
2 citrons
1 branche de thym
1/2 feuille de laurier
2 cuillerées à soupe d'huile d'olive

sel
poivre
cerfeuil

— Retirer les pédoncules des aubergines. Les laver, les essuyer et les découper en gros cubes.
— Eplucher la gousse d'ail. En frotter une cocotte à revêtement antiadhésif. Verser l'huile d'olive. Disposer les cubes d'aubergines en couches en assaisonnant chaque couche au fur et à mesure. Arroser de jus de citron.
— Couvrir et mettre à four chaud pendant 1 h 15.
— Servir très chaud saupoudré de cerfeuil haché.

PUREE D'AUBERGINES

Par portion : Calories : 128 ; Fibres : 4,9 g

800 g d'aubergines
1 oignon
1 gousse d'ail
le jus d'un citron
2 cuillerées à soupe d'huile d'olive
sel
poivre

— Retirer le pédoncule des aubergines. Les laver et les essuyer.
— Les déposer sur une tôle et les faire cuire au four chaud pendant 40 minutes.
— Eplucher et laver l'oignon. L'émincer.
— Quand les aubergines sont cuites, les passer au mixer.
— Verser cette purée dans un plat creux. Ajouter l'oignon et l'ail pressé, le jus de citron. Saler et poivrer. Ajouter peu à peu l'huile d'olive en filet.
— Servir très frais.

CURRY D'AUBERGINES

Par portion : Calories : 137 ; Fibres : 6,2 g

4 belles aubergines
4 oignons
4 cuillerées à café d'huile
sel
1 cuillerée à café de curry en poudre

— Retirer le pédoncule des aubergines. Les laver et les essuyer. Eplucher et laver les oignons et les émincer.

— Faire dorer les oignons à l'huile chaude. Ajouter les aubergines coupées en gros dés, puis le curry délayé dans un peu d'eau. Saler.

— Couvrir et faire cuire doucement pendant 1 heure environ en ajoutant un peu d'eau si nécessaire.

GRATIN DE BETTES

Par portion : Calories : 94 ; Fibres : 7,9 g

---

1 kilo de bettes (côtes et feuilles)
200 g de fromage blanc à 0 % de m.g.
1/2 verre de lait écrémé
1 cuillerée à café de maïzéna
1 cuillerée à soupe de gruyère râpé
sel
poivre

— Laver soigneusement les bettes. Retirer les parties filandreuses. Séparer vert et blanc. Faire cuire séparément à l'eau bouillante salée. Egoutter. Hacher, toujours séparément.

— Délayer la maïzéna dans le lait. Ajouter le fromage blanc. Faire épaissir sur feu doux sans cesser de tourner. Passer à la passoire fine. Saler, poivrer. Ajouter aux blancs et aux verts de bettes.

— Disposer les côtes blanches au centre d'un plat à four. Entourer avec les feuilles. Saupoudrer de gruyère râpé.

— Faire gratiner à four chaud 8 minutes environ.

BETTES AUX CHAMPIGNONS

Par portion : Calories : 194 ; Fibres : 6,17 g

---

500 g de feuilles de bettes
250 g de champignons de Paris
30 g de margarine
30 g de gruyère râpé
1 cuillerée à soupe de noix finement hachées
sel
poivre
noix muscade

— Laver et égoutter les feuilles de bettes. Les faire cuire 10 minutes à l'eau bouillante salée.
— Retirer le pied sableux des champignons. Les essuyer. Les couper en lamelles.
— Egoutter les feuilles de bettes et les passer au mixer. Saler, poivrer. Râper un peu de noix muscade.
— Faire revenir les lamelles de champignons dans le corps gras fondu.
— Disposer les feuilles dans un plat à four. Répartir les champignons par-dessus. Saupoudrer avec le gruyère râpé et les noix hachées. Faire dorer au four pendant 15 minutes environ.

BROCOLIS AU FROMAGE BLANC

Par portion : Calories : 110 ; Fibres : 10,75 g

1 kilo de brocolis
150 g de fromage blanc à 0 % de m.g.
1 jaune d'œuf
1 cuillerée à café de moutarde
sel
poivre

— Laver soigneusement les brocolis. Les faire cuire à l'eau bouillante salée pendant 30 minutes.
— Battre le fromage blanc. Ajouter la moutarde et le jaune d'œuf. Chauffer doucement sans cesser de tourner. Saler, poivrer.
— Egoutter les brocolis. Les écraser grossièrement. Disposer dans un plat et recouvrir de sauce.
— Servir aussitôt.

BROCOLIS A LA TOMATE

Par portion : Calories : 98 ; Fibres : 12,5 g

1 kilo de brocolis
500 g de tomates
20 g de fromage râpé
persil
sel
poivre

— Laver soigneusement les brocolis. Les faire cuire à l'eau bouillante salée. Egoutter. Disposer dans un plat à four.
— Laver et essuyer les tomates. Les couper en tranches pas trop fines. Disposer par-dessus les brocolis.
— Saler et poivrer. Saupoudrer de fromage râpé.
— Faire gratiner à four moyen pendant 15 minutes environ.
— Servir saupoudré de persil haché.

CAROTTES VICHY

Par portion : Calories : 84 ; Fibres : 6,4 g

800 g de carottes
5 ou 6 branches de persil
20 g de corps gras à 41 %
sel
poivre

— Couper les extrémités des carottes. Les brosser soigneusement sous l'eau courante. Les couper en rondelles fines.
— Disposer dans une cocotte à revêtement antiadhésif. Ajouter de l'eau froide à hauteur. Ajouter le corps gras coupé en petits morceaux. Saler, poivrer.
— Couvrir et laisser cuire à feu très doux pendant 45 minutes environ. Oter le couvercle et laisser cuire encore 5 à 10 minutes. Saupoudrer largement de persil haché.

CAROTTES AUX RAISINS ET AU CUMIN

Par portion : Calories : 237 ; Fibres : 9,32 g

1 kilo de carottes
2 oignons
100 g de raisins secs
1 cuillerée à soupe d'huile
1 cuillerée à café de graines de cumin
sel
poivre

— Retirer les extrémités des carottes. Les brosser soigneusement sous l'eau courante. Les couper en rondelles.
— Eplucher, laver et émincer les oignons. Les faire revenir dans l'huile chaude dans une cocotte à revêtement antiadhésif.
— Ajouter les rondelles de carottes, les raisins secs, le cumin. Saler, poivrer. Ajouter 1 verre d'eau bouillante.
— Couvrir et laisser cuire pendant 45 minutes.

CELERI BRANCHE BRAISE

Par portion : Calories : 102 ; Fibres : 4,3 g

4 pieds de céleri branche
2 carottes
1 oignon
1 cuillérée à soupe d'huile
sel
poivre
persil

— Retirer les côtes extérieures trop dures des céleris ainsi que la partie ligneuse de la base. Couper chaque pied en quatre. Retirer les parties filandreuses. Laver soigneusement. Faire cuire 15 minutes à l'eau bouillante salée. Egoutter.
— Retirer les parties dures des carottes. Brosser sous l'eau courante. Couper en rondelles. Eplucher, laver et émincer l'oignon.
— Faire revenir l'oignon émincé et les rondelles de carottes dans

l'huile chaude. Ajouter les céleris. Arroser avec un peu d'eau tiède ou de bouillon. Saler, poivrer.
— Couvrir et laisser cuire à feu doux pendant 40 minutes en retournant de temps en temps.
— Servir chaud saupoudré de persil haché.

CELERI-RAVE BRAISE

Par portion : Calories : 156 ; Fibres : 3,4 g

750 g de céleri-rave
le jus d'un citron
1 tablette de bouillon et l'eau nécessaire pour la préparer
30 g de margarine
2 jaunes d'œufs
sel
poivre

— Laver le céleri-rave et retirer les parties trop dures ou abîmées. Couper en lamelles assez épaisses et recouvrir au fur et à mesure de jus de citron.
— Faire revenir ces lamelles de céleri dans le corps gras chaud. Arroser avec un litre de bouillon. Saler, poivrer. Couvrir et laisser cuire doucement pendant 30 minutes environ. Egoutter et garder le jus de cuisson.
— Battre les jaunes d'œufs avec un peu de ce jus.
— Faire réduire le restant du jus jusqu'à l'équivalent d'un petit bol. Ajouter les jaunes d'œufs délayés et faire épaissir sur feu doux sans cesser de remuer.
— Verser sur le céleri et servir.

CHAMPIGNONS AUX AMANDES

Par portion : Calories : 283 ; Fibres : 10,45 g

8 beaux champignons de Paris
200 g de mie de pain complet rassis

50 g d'amandes séchées et écrasées
1/2 verre de vin blanc
1 verre de lait écrémé
20 g de corps gras à 41 %
sel
poivre

— Faire tremper la mie de pain emiettée dans le lait.
— Détacher les pieds et les têtes des champignons. Retirer la partie sableuse des pieds. Essuyer les têtes et les pieds. Hacher ces derniers.
— Mélanger avec la mie de pain pressée et les amandes hachées. Saler, poivrer.
— Disposer les chapeaux de champignons dans un plat à four. Répartir le mélange ci-dessus entre eux. Parsemer de miettes de corps gras. Faire cuire à four chaud pendant 30 minutes.

POULET AUX CHAMPIGNONS

Par portion : Calories : 536 ; Fibres : 3,62 g

1 poulet de 1 kilo environ coupé en quatre
250 g de champignons de Paris
2 oignons
2 carottes
1 cuillerée à soupe d'huile
1 cuillerée à soupe de crème fraîche
persil
sel
poivre

— Eplucher et laver les oignons. Les émincer. Retirer les parties dures des carottes. Les brosser sous l'eau et les couper en petits morceaux.
— Retirer le pied sableux des champignons. Les essuyer et les couper en lamelles.
— Faire revenir les oignons dans l'huile dans une cocotte à revêtement antiadhésif. Ajouter les morceaux de poulet et les faire dorer sur toutes leurs faces. Ajouter les carottes, puis les champignons. Saler, poivrer. Ajouter quelques cuillerées de bouillon.

— Couvrir et laisser cuire doucement pendant 45 minutes. Retirer le poulet et le disposer sur un plat.
— Ajouter la crème à la sauce. La saupoudrer de persil haché. En recouvrir le poulet.

ESCALOPE AUX CHAMPIGNONS

Par portion : Calories : 330 ; Fibres : 3,25 g

4 escalopes de 150 g environ
500 g de champignons de Paris
2 cuillerées à soupe de crème fraîche
1 yaourt nature
1 échalote
2 cuillerées à soupe d'huile
persil
sel
poivre
noix muscade

— Retirer la partie sableuse des champignons. Les essuyer et les émincer. Eplucher l'échalote et la hacher.
— Dans une sauteuse, faire dorer les escalopes dans l'huile chaude. Les retirer et faire revenir l'échalote hachée.
— Remettre les escalopes. Ajouter les champignons. Verser la crème fraîche et le yaourt. Saler, poivrer. Râper un peu de noix muscade. Couvrir et laisser cuire doucement pendant 30 minutes.
— Disposer sur un plat creux et saupoudrer de persil haché.

FEUILLES DE CHOU FARCIES AUX LEGUMES

Par portion : Calories : 198 ; Fibres : 16,36 g

1 petit chou vert
100 g de mie de pain complet rassis
500 g de carottes
2 oignons

20 g de margarine
1 gousse d'ail
sel
poivre

— Mettre la mie de pain à tremper dans un peu de bouillon.
— Retirer les parties dures du chou. Le laver. Le blanchir 5 minutes à l'eau bouillante salée.
— Eplucher, laver et émincer les oignons. Retirer les parties dures des carottes. Les brosser sous l'eau courante.
— Faire étuver les oignons et les feuilles intérieures du chou dans le corps gras fondu. Saler, poivrer. Ecraser à la fourchette. Ajouter la mie de pain bien essorée.
— Farcir les feuilles de chou de ce mélange. Ficeler.
— Disposer les carottes dans le fond d'une cocotte. Disposer les feuilles de chou farcies par-dessus. Verser un verre d'eau. Couvrir.
— Laisser cuire doucement pendant 45 minutes.

CHOU ROUGE A LA FLAMANDE

Par portion : Calories : 95 ; Fibres : 6,42 g

---

800 g de chou rouge
3 petites pommes
le jus d'un citron
sel
poivre

— Laver le chou rouge. Retirer les premières feuilles dures. Couper les autres en lamelles.
— Laver et essuyer les pommes sans les éplucher. Les couper en lamelles.
— Mettre le chou rouge dans une cocotte. Arroser de jus de citron. Ajouter les pommes. Saler, poivrer. Recouvrir d'eau chaude. Porter à ébullition.
— Couvrir. Laisser mijoter pendant une demi-heure.

CHOU VERT A LA NORMANDE

Par portion : Calories : 121 ; Fibres : 8,2 g

1 petit chou vert
500 g de pommes
le jus d'un citron
sel
clous de girofle
noix muscade

— Retirer les feuilles externes et les parties dures du chou. Le laver. Le hacher.
— Laver et essuyer les pommes sans les éplucher. Les couper en huit.
— Mettre chou et pommes à cuire avec un demi-verre d'eau, le jus de citron, de la noix muscade râpée, quelques clous de girofle écrasés. Couvrir.
— Laisser cuire une demi-heure en remuant de temps en temps. Saler au moment de servir.

CHOUX DE BRUXELLES A LA FLAMANDE

Par portion : Calories : 331 ; Fibres : 7,11 g

800 g de choux de Bruxelles
4 tranches de jambon
2 pommes reinettes moyennes
10 g de margarine
1 verre de bouillon
sel
poivre
noix muscade

— Retirer les parties dures des choux de Bruxelles. Les laver. Les faire cuire 10 minutes à l'eau bouillante salée. Egoutter.
— Laver et essuyer les pommes. Les couper en lamelles. Couper le jambon en lanières.

— Dans un plat à four à revêtement antiadhésif, disposer les choux de Bruxelles en intercalant lanières de jambon et lamelles de pommes. Arroser avec le bouillon légèrement poivré et additionné de noix muscade râpée. Répartir la margarine sur le dessus.
— Faire cuire 20 minutes à four moyen. Tout le liquide doit être absorbé.

CHOU-FLEUR AU PAPRIKA

Par portion : Calories : 145 ; Fibres : 5 g

1 chou-fleur de 1 kilo environ
0,500 l de lait écrémé
2 cuillerées à soupe de crème fraîche
1 cuillerée à soupe de maïzéna
2 cuillerées à café de paprika
ciboulette
sel
poivre

— Laver le chou-fleur. Le diviser en petits bouquets. Les faire cuire 10 minutes à l'eau bouillante salée. Egoutter.
— Délayer la maïzéna dans un peu de lait froid. Mettre le restant du lait à bouillir. Y verser la maïzéna délayée. Faire épaissir sans cesser de tourner. Ajouter la crème fraîche. Battre légèrement au fouet. Saler, poivrer. Ajouter le paprika.
— Disposer les bouquets de chou-fleur en dôme. Arroser de sauce. Saupoudrer de ciboulette hachée.

POULET AU CONCOMBRE

Par portion : Calories : 290 ; Fibres : 1,2 g

4 blancs de poulet
1 beau concombre
1 échalote
le jus de 3 citrons

2 cuillerées à soupe d'huile
1 bouquet de menthe fraîche
sel
poivre

— Laver le concombre. Essuyer. Couper en petits dés. Plonger quelques minutes dans l'eau bouillante salée. Egoutter.
— Découper les blancs de poulet en lanières.
— Eplucher et hacher l'échalote
— Faire chauffer l'huile dans une sauteuse. Y faire rissoler les lanières de blancs de poulet. Retirer et remplacer par l'échalote. Laisser fondre à feu doux pendant 3 minutes. Arroser avec le jus des citrons et un peu d'eau froide.
— Remettre le poulet. Saler, poivrer et laisser mijoter pendant 10 minutes.
— Ajouter les cubes de concombre. Laisser cuire encore 5 minutes. Saupoudrer largement de feuilles de menthe hachées.

CONCOMBRES ETUVES AU PAPRIKA

Par portion : Calories : 81 ; Fibres : 1 g

2 concombres
30 g de margarine
1 cuillerée à soupe de paprika
sel
poivre

— Laver et essuyer les concombres. Les couper en gros morceaux.
— Mettre dans une cocotte avec la margarine fondue. Saler, poivrer. Saupoudrer de paprika.
— Couvrir et laisser étuver pendant 20 minutes.

SOUFFLE DE COURGETTES

Par portion : Calories : 173 ; Fibres : 1,8 g

4 ou 5 courgettes (environ 800 g)

4 œufs
0,400 l de lait écrémé
1 cuillerée à soupe de fécule
1 cuillerée à soupe de parmesan râpé
15 g de margarine
sel
poivre
noix muscade

— Laver les courgettes et ôter les pédoncules. Faire cuire à l'eau bouillante salée pendant 30 minutes. Egoutter. Passer au mixer. Faire dessécher cette purée à feu moyen sans cesser de tourner.
— Délayer la fécule dans le lait froid. Porter sur le feu et faire épaissir sans cesser de tourner.
— Ajouter les courgettes, les jaunes d'œufs, le parmesan râpé. Saler, poivrer. Râper un peu de noix muscade.
— Ajouter les blancs d'œufs battus en neige.
— Verser dans un moule à soufflé qui ne doit être rempli qu'aux 2/3. Faire cuire à four moyen pendant 40 minutes environ.

COURGETTES A LA MENTHE

Par portion : Calories : 63 ; Fibres : 2,7 g

1,200 kilo de courgettes
1 gousse d'ail
1 cuillerée à soupe d'huile
3 sachets-doses de menthe
sel
poivre

— Verser 1 verre d'eau frémissante sur 2 sachets-doses de menthe. Laisser infuser pendant 5 minutes. Retirer les sachets.
— Laver les courgettes. Oter les pédoncules. Essuyer et couper en rondelles épaisses de 1/2 centimètre.
— Huiler le fond et les parois d'un plat à four. Y disposer les rondelles de courgettes en couches successives en salant et poivrant au fur et à mesure. Mouiller avec le verre d'infusion de menthe. Saupoudrer avec le contenu du 3ème sachet et l'ail haché.
— Faire cuire à four chaud pendant 20 minutes.

COMPOTE DE COURGETTES

Par portion : Calories : 146 ; Fibres : 2,75 g

1 kilo de courgettes
2 oignons
2 cuillerées à soupe d'huile d'olive
le jus de 3 citrons
2 branches de menthe fraîche
sel
poivre

— Laver les courgettes. Oter les pédoncules. Essuyer et couper en petits cubes.
— Eplucher, laver et émincer les oignons.
— Mettre courgettes et oignons dans une casserole à revêtement antiadhésif. Arroser avec l'huile et le jus des citrons. Saler, poivrer. Laisser mijoter 30 minutes à feu doux.
— Verser dans un plat creux et laisser refroidir.
— Servir très froid recouvert de menthe hachée.

POULET AUX ENDIVES ET AU CITRON

Par portion : Calories : 462 ; Fibres : 6 g

1 poulet de 1 à 1,200 kilo
8 endives
3 citrons
1 verre de bouillon
2 cuillerées à soupe d'huile
persil
sel
poivre

— Nettoyer les endives. Retirer le petit cône amer de la base. Laver à l'eau courante.
— Faire revenir le poulet dans l'huile chaude dans une cocotte à revêtement antiadhésif.
— Quand il est doré, le retirer et le remplacer par les endives. Les

laisser étuver pendant 5 minutes.
— Remettre le poulet. Ajouter le bouillon chaud et le jus des citrons. Saler, poivrer. Couvrir et laisser mijoter pendant 1 heure environ.
— Servir saupoudré de persil haché.

ENDIVES A LA MOUTARDE

Par portion : Calories : 98 ; Fibres : 6,6 g

1,200 kilo d'endives
1 citron
150 g de fromage blanc à 0 % de m.g.
1 verre de vin blanc sec
2 cuillerées à soupe de moutarde
1 cuillerée à soupe d'huile
persil
sel
poivre

— Nettoyer les endives. Retirer le petit cône du fond un peu amer. Laver soigneusement. Egoutter.
— Frotter de citron. Blanchir 10 minutes à l'eau bouillante salée. Egoutter.
— Faire chauffer l'huile dans une sauteuse à revêtement antiadhésif. Y faire dorer les endives en retournant souvent. Saler, poivrer. Ajouter le vin blanc et un verre d'eau. Couvrir et laisser mijoter 20 minutes à feu doux.
— Battre le fromage blanc pour le rendre onctueux. Saler légèrement. Ajouter la moutarde. Recouvrir les endives du mélange. Couvrir. Laisser chauffer 5 minutes.
— Verser dans un plat et saupoudrer de persil haché.

ENDIVES A LA ROYALE

Par portion : Calories : 106 ; Fibres : 6,6 g

1,200 kilo d'endives
2 œufs
1 verre (0,100 l) de lait écrémé
sel
poivre
noix muscade

— Nettoyer les endives. Retirer le petit cône un peu amer de l'extrémité. Laver soigneusement. Faire cuire 30 minutes à l'eau bouillante salée. Bien égoutter.

— Battre les deux œufs avec le lait écrémé. Saler, poivrer. Râper un peu de noix muscade.

— Disposer les endives dans un plat à four. Recouvrir du mélange ci-dessus. Mettre au four jusqu'à ce que les œufs soient pris.

PAIN D'EPINARDS

Par portion : Calories : 206 ; Fibres : 11,48 g

---

400 g d'épinards surgelés
100 g de pain complet
1 verre de lait écrémé
200 g de fromage à 0 % de m.g.
4 œufs
sel
poivre
poivre de Cayenne

— Faire tremper le pain émietté dans le lait écrémé.

— Faire cuire les épinards comme indiqué sur le mode d'emploi. Egoutter très soigneusement.

— Battre le fromage blanc. Lui ajouter les épinards, la mie de pain bien essorée, les jaunes d'œufs. Saler, poivrer. Ajouter un peu de poivre de Cayenne. Bien mélanger.

— Battre les blancs d'œufs en neige. Les ajouter au mélange précédent.

— Verser dans un moule à soufflé à revêtement antiadhésif.

— Faire cuire à four moyen pendant 40 minutes environ.

TERRINE D'EPINARDS AUX FONDS D'ARTICHAUTS

Par portion : Calories : 216 ; Fibres : 29,67 g

1,500 kilo d'épinards frais
4 artichauts
2 gousses d'ail
3 œufs
100 g de fromage blanc à 0 % de m.g.
2 tranches de jambon maigre
sel
poivre

— Nettoyer les épinards. Les laver soigneusement. Les plonger 3 minutes dans une marmite d'eau bouillante salée. Egoutter.
— Retirer les feuilles et le foin des artichauts. Les faire cuire 10 minutes à l'eau bouillante salée. Egoutter.
— Retirer le gras du jambon. Emincer finement.
— Battre les œufs. Ajouter le fromage blanc. Saler, poivrer. Ajouter l'ail pressé et les lamelles de jambon. Mélanger avec les épinards.
— Dans un moule à cake à revêtement antiadhésif, verser la moitié des épinards. Recouvrir avec les fonds d'artichauts. Verser le restant des épinards. Mettre à four chaud pendant 35 minutes environ.
— Démouler avant de servir, chaud ou tiède.

EPINARDS TROIS COULEURS

Par portion : Calories : 88 ; Fibres : 11,56 g

400 g d'épinards surgelés
500 g de tomates
2 poivrons verts
thym
laurier
sel
poivre

— Préparer les épinards comme indiqué sur le mode d'emploi. Egoutter.
— Laver et essuyer les tomates. Les couper en petits morceaux. Laver et essuyer les poivrons. Retirer les pédoncules et les pépins et couper en fines lamelles.
— Dans une cocotte à revêtement antiadhésif, mettre les tomates et les lamelles de poivron. Ajouter 1/2 verre d'eau, une branche de thym effeuillée, une feuille de laurier coupée en petits morceaux. Saler, poivrer.
— Laisser cuire 15 minutes à feu doux. Ajouter les épinards. Laisser chauffer et servir bien chaud.

EPINARDS EN GATEAU

Par portion : Calories : 174 ; Fibres : 15,45 g

1 kilo d'épinards
100 g de fromage à 0 % de m.g.
4 œufs
3 cuillerées de gruyère râpé
sel
poivre
noix muscade

— Nettoyer les épinards. Les laver. Les faire cuire 10 minutes à l'eau bouillante salée. Egoutter très soigneusement. Saler, poivrer. Râper un peu de noix muscade.
— Battre le fromage blanc pour qu'il soit bien onctueux.
— Battre les œufs. Ajouter le gruyère râpé, le fromage blanc. Saler, poivrer.
— Mélanger les épinards et le mélange précédent.
— Verser dans un plat à four et faire cuire 10 minutes à four moyen.

LOTTE AU FENOUIL

Par portion : Calories : 307 ; Fibres : 3,79 g

800 g de lotte
2 beaux bulbes de fenouil
300 g de carottes
1 oignon
1 cuillerée à soupe d'huile d'olive
1/2 verre de vin blanc sec
1 cuillerée à café de curry
sel
poivre

— Eplucher, laver et émincer l'oignon. Laver les carottes, les brosser. Retirer les parties dures et couper en bâtonnets.
— Nettoyer les fenouils. Retirer les parties un peu trop dures. Laver et sécher sur un papier absorbant. Partager en deux, puis émincer.
— Dans une cocotte à revêtement antiadhésif, faire revenir l'oignon dans l'huile chaude. Faire dorer la lotte sur toutes ses faces. Retirer. Remplacer par les légumes. Ajouter 2 cuillerées à soupe d'eau chaude et laisser étuver 10 minutes.
— Saler, poivrer. Ajouter le curry, le vin blanc et mélanger. Remettre la lotte dans la cocotte. Couvrir et laisser cuire à feu très doux pendant 20 minutes.

FENOUILS AU GRATIN

Par portion : Calories : 99 ; Fibres : 3,35 g

---

4 beaux bulbes de fenouil
2 cuillerées à soupe de gruyère râpé
2 cuillerées à soupe de son
1 cuillerée à soupe d'huile d'olive
sel, poivre

— Retirer les parties trop dures des fenouils. Les laver. Les couper en deux. Les faire cuire 30 minutes à l'eau bouillante salée. Egoutter. Disposer dans un plat à four.
— Mélanger gruyère râpé et son. Poivrer légèrement. Saupoudrer le plat avec ce mélange. Arroser avec l'huile d'olive. Faire gratiner.

GIROLLES PERSILLEES

Par portion : Calories : 78 ; Fibres : 5,43 g

750 g de girolles
4 petites échalotes
1 bouquet de persil
sel
poivre

— Nettoyer les girolles. Retirer notamment la terre et tous les déchets. Bien essuyer.
— Mettre dans une poêle à revêtement antiadhésif et chauffer en remuant régulièrement jusqu'à ce que les champignons aient rendu toute leur eau de végétation. Eliminer celle-ci. Ajouter les échalotes hachées. Remuer avec précaution. Laisser cuire encore quelques minutes.
— Saupoudrer de persil haché avant de servir.

GIROLLES AU CITRON

Par portion : Calories : 101 ; Fibres : 5,43 g

750 g de girolles
2 citrons
1 échalote
1 cuillerée à soupe d'huile d'olive
sel
poivre

— Bien nettoyer les girolles. Les essuyer. Les faire cuire à feu moyen dans une poêle à revêtement antiadhésif jusqu'à ce qu'il n'y ait plus de liquide dans la poêle.
— Eplucher et hacher très finement l'échalote. Presser les citrons. Mélanger huile d'olive, jus de citron et échalote. Saler, poivrer.
— Verser les girolles tièdes dans cette sauce. Bien mélanger.
— Peut se servir tiède. Mais c'est encore meilleur frais après une demi-journée au réfrigérateur.

HARICOTS VERTS A L'ANGLAISE

Par portion : Calories : 124 ; Fibres : 8 g

1 kilo de haricots verts
1/2 citron
30 g de corps gras à 41 %
persil
sel
poivre

— Retirer les fils des haricots verts. Les laver. Les couper en deux. Verser une poignée dans de l'eau bouillante salée. Laisser reprendre l'ébullition. Ajouter une autre poignée. Laisser reprendre l'ébullition. Recommencer jusqu'à ce que tous les haricots verts soient dans l'eau. Cette façon de procéder leur permet de rester bien verts.
— Laisser cuire doucement à découvert pendant 15 à 20 minutes. Egoutter.
— Faire fondre le corps gras à feu très doux. Ajouter le jus de citron. Saler, poivrer.
— Mettre les haricots verts dans un plat. Saupoudrer de persil haché. Arroser avec la sauce ci-dessus.

HARICOTS VERTS AUX TOMATES

Par portion : Calories : 94 ; Fibres : 6,9 g

600 g de haricots verts
500 g de tomates
1 oignon,
1 gousse d'ail
thym
laurier
persil
sel
poivre

— Laver et essuyer les tomates. Les couper en petits morceaux. Eplucher, laver et émincer l'oignon.

— Retirer les fils des haricots verts. Laver. Couper en deux.
— Mettre les morceaux de tomates et l'oignon dans une cocotte à revêtement antiadhésif. Ajouter 1/2 verre d'eau, l'ail pressé, une branche de thym effeuillé, une feuille de laurier coupée en morceaux. Saler, poivrer.
— Laisser mijoter doucement pendant 15 minutes. Ajouter les haricots verts et, si nécessaire, un peu d'eau. Couvrir et laisser mijoter pendant 30 minutes. Mélanger souvent pour que la préparation n'attache pas.
— Verser dans un plat et saupoudrer de persil haché.

HARICOTS VERTS POULETTE

Par portion : Calories : 127 ; Fibres : 8,65 g

1 kilo de haricots verts
2 oignons
1 jaune d'œuf
0,100 l de lait écrémé
jus de citron
sel
poivre

— Retirer les fils des haricots verts. Laver. Couper en deux. Faire cuire à l'eau bouillante salée comme indiqué ci-dessus.
— Eplucher, laver et émincer les oignons. Les ajouter aux haricots verts.
— Mélanger le jaune d'œuf, le lait écrémé, sel, poivre. Ajouter quelques gouttes de jus de citron.
— Dès que les légumes sont cuits, les égoutter. Remettre dans la casserole. Ajouter la sauce ci-dessus. Chauffer quelques instants sans laisser bouillir.

HARICOTS VERTS A LA PROVENÇALE

Par portion : Calories : 105 ; Fibres : 8,5 g

800 g de haricots verts
600 g de tomates
1 gousse d'ail
sel
poivre

— Retirer les fils des haricots verts. Laver. Couper en deux. Faire cuire comme indiqué ci-dessus. Egoutter.
— Laver et essuyer les tomates. Les couper en grosses rondelles. Mettre dans une sauteuse à revêtement antiadhésif. Ajouter les haricots verts. Saler, poivrer. Laisser mijoter quelques minutes.
— Verser dans un plat. Saupoudrer d'ail haché.

GRATIN DE LAITUE

Par portion : Calories : 183 ; Fibres : 3,2 g

---

2 laitues moyennes
0,400 l de lait écrémé
3 œufs
cerfeuil
sel
poivre
noix muscade

— Nettoyer et laver soigneusement les laitues. Les faire cuire 10 minutes à l'eau bouillante salée. Egoutter. Presser pour éliminer l'eau au maximum. Passer à la moulinette.
— Battre les œufs. Verser par-dessus le lait bouillant. Ajouter aux laitues. Saler, poivrer. Râper un peu de noix muscade. Verser dans un plat à four. Faire cuire au bain-marie à four chaud pendant 30 minutes. Saupoudrer de cerfeuil haché avant de servir.

LAITUE BRAISEE

Par portion : Calories : 141 ; Fibres : 5,24 g

1,200 kilo de laitues

2 oignons
20 g de margarine
sel
poivre

— Nettoyer, laver, égoutter les laitues. Eplucher, laver et émincer les oignons.

— Faire fondre le corps gras dans une cocotte à revêtement anti-adhésif. Y faire revenir les oignons. Remuer. Ajouter les laitues. Couvrir et laisser étuver pendant 10 minutes.

— Remuer. AJouter un verre d'eau ou de bouillon. Couvrir et laisser encore mijoter 1 heure. Saler, poivrer.

LAITUE GLACEE

Par portion : Calories : 119 ; Fibres : 5 g

1,200 kilo de laitues
2 échalotes
2 jaunes d'œufs
20 g de margarine
sel
poivre

— Nettoyer les laitues, les laver, les égoutter en les laissant entières.

— Dans une sauteuse à revêtement antiadhésif, faire revenir les échalotes hachés dans le corps gras. Au bout de 10 minutes, ajouter 2 verres d'eau. Laisser réduire doucement.

— Faire cuire les laitues à l'eau bouillante salée pendant 15 minutes. Egoutter. Presser pour éliminer l'excès d'eau en formant de petits paquets.

— Saler et poivrer la réduction d'échalotes. Retirer du feu. Ajouter les jaunes d'œufs.

— Disposer les laitues sur un plat. Recouvrir avec cette sauce.

TERRINE DE LEGUMES

Par portion : Calories : 260 ; Fibres : 6 g

---

200 g de haricots verts
200 g de carottes
200 g de petits pois écossés
200 g de jambon maigre
200 g de fromage blanc à 0 % de m.g.
1/2 citron
1 jaune d'œuf
sel
poivre

— Retirer les fils des haricots verts. Laver. Couper en deux. Bien brosser les carottes et retirer les parties dures. Les couper en bâtonnets. Faire cuire tous ces légumes 20 minutes à la vapeur.
— Retirer le gras du jambon. Passer la chair au mixer.
— Battre le fromage blanc. Lui ajouter le jaune d'œuf, la purée de jambon et le jus du demi-citron. Saler et poivrer.
— Dans un moule à cake à revêtement antiadhésif, disposer une couche de légumes en jouant sur les formes et les couleurs. Puis faire alterner une couche de préparation au jambon, une couche de légumes ... jusqu'à épuisement.
— Passer 15 minutes à four chaud. Laisser refroidir dans le moule. Servir froid, démouler et couper en tranches.

LEGUMES A L'ETUVEE

Par portion : Calories : 121 ; Fibres : 7,37 g

---

300 g de carottes
200 g de petits oignons blancs
200 g de haricots verts
200 g de petits pois écossés
sel

— Brosser les carottes, les nettoyer, laver, égoutter.
— Retirer les fils des haricots verts. Laver. Couper en deux. Eplucher, laver, égoutter les oignons.
— Disposer les légumes par couches dans le fond d'une cocotte en fonte. Saler chaque couche. Verser 0,200 l d'eau bouillante. Fermer hermétiquement.
— Faire cuire à four moyen pendant 1 h 30.

PETITS NAVETS GLACES

Par portion : Calories : 85 ; Fibres : 4,4 g

800 g de navets
20 g de margarine
1 cuillérée à café de sucre semoule
persil
sel
poivre

— Bien brosser et laver les navets. Les découper en forme d'olives.
— Mettre dans une sauteuse à revêtement antiadhésif. Recouvrir d'eau froide. Ajouter la margarine coupée en petits morceaux. Saler et poivrer. Couvrir. Laisser cuire à feu très doux pendant 45 minutes.
— Retirer le couvercle. Il ne doit pratiquement plus rester d'eau. Saupoudrer de sucre semoule. Bien mélanger. Laisser cuire encore 5 à 10 minutes.
— Verser dans un plat et recouvrir de persil haché.

COMPOTE D'OIGNONS AUX RAISINS SECS

Par portion : Calories : 211 ; Fibres : 3,9 g

1 kilo de petits oignons
70 g de raisins secs
1/2 verre de vin blanc
20 g de margarine
sel
poivre

— Eplucher et laver les oignons. Les couper en deux ou en quatre suivant leur taille.
— Faire fondre la margarine dans une sauteuse à revêtement antiadhésif. Ajouter les oignons, les raisins secs, le vin blanc. Saler, poivrer. Couvrir et laisser cuire à feu doux pendant 35 minutes.
— Servir très chaud.

PETITS POIS A LA FRANÇAISE

Par portion : Calories : 261 ; Fibres : 16,25 g

800 g de petits pois épluchés
1 petite laitue
150 g de petits oignons blancs
20 g de margarine
sel
poivre

— Eplucher et laver la laitue et les petits oignons. Egoutter.
— Faire fondre la margarine dans un faitout à revêtement anti-adhésif. Y verser les petits pois. Secouer le récipient. Ajouter la laitue et les petits oignons. Ajouter 1/2 verre d'eau. Couvrir. Laisser mijoter à feu doux pendant 1 heure en rajoutant un peu d'eau si nécessaire. Saler et poivrer en fin de cuisson.

POIREAUX MIMOSA

Par portion : Calories : 212 ; Fibres : 12,72 g

1,500 kilo de poireaux
2 œufs durs
2 cuillerées à café de son
1 yaourt nature
1 citron
1 cuillerée à café de moutarde
sel
poivre

— Nettoyer les poireaux. Bien les laver. Les couper en tronçons réguliers. Faire cuire 20 minutes à l'eau bouillante salée. Egoutter. Laisser tiédir.
— Passer les œufs durs à la moulinette. Mélanger avec le son.
— Faire une sauce avec le jus de citron, la moutarde, le yaourt, sel et poivre.
— Dans un plat creux, mélanger les poireaux et les œufs durs au son. Arroser de sauce. Mélanger.

RAIE AUX POIREAUX

Par portion : Calories : 378 ; Fibres : 11,9 g

1,500 kilo de poireaux
800 g de raie
1 oignon
1 carotte
180 g de fromage blanc à 0 % de m g
2 jaunes d'œufs
bouquet garni
1 clou de girofle
sel, poivre
noix muscade

— Eplucher et laver l'oignon. Y piquer le clou de girofle. Brosser la carotte. Mettre dans une cocotte avec 1,5 litre d'eau, le bouquet garni, du sel, du poivre. Porter à ébullition. Laisser frémir pendant 20 minutes.
— Nettoyer et laver les poireaux. Egoutter et plonger dans le court-bouillon ci-dessus. Laisser cuire. Retirer.
— Faire pocher la raie pendant 20 minutes. L'éplucher et retirer les cartilages.
— Battre le fromage blanc. Ajouter les jaunes d'œufs. Saler, poivrer. Râper un peu de noix muscade.
— Disposer les poireaux bien égouttés et la raie dans un plat à four à revêtement antiadhésif. Recouvrir du mélange ci-dessus. Faire gratiner et servir bien chaud.

BARBUE A LA FONDUE DE POIREAUX

Par portion : Calories : 366 ; Fibres : 11,6 g

1 barbue de 1 kilo environ
1,500 kilo de poireaux
20 g de margarine
0,500 l de bouillon

0,300 l de lait écrémé
1 cuillerée à café de maïzéna
1 œuf
bouquet garni
sel
poivre

— Laver les filets de la barbue. Les faire cuire à la vapeur du bouillon additionné du bouquet garni.
— Nettoyer et laver les poireaux. Les émincer.
— Faire fondre la margarine dans une cocotte à revêtement anti-adhésif. Y faire étuver les blancs de poireaux pendant 20 minutes en ajoutant un peu de bouillon si nécessaire.
— Battre l'œuf avec le lait et la maïzéna. Saler, poivrer.
— Disposer les poireaux dans un plat à four. Placer les filets de barbue par-dessus. Arroser avec le mélange ci-dessus. Faire gratiner 10 minutes environ.

POTEE DE LAPIN

Par portion : Calories : 255 ; Fibres : 8,20 g

1 lapin coupé en morceaux
1/2 chou vert
300 g de carottes
300 g de navets
2 poireaux
2 gousses d'ail
1 verre de vin blanc sec
thym
laurier
persil
sel
poivre

— Dans une marmite, verser 1 litre d'eau, le vin blanc, les gousses d'ail non épluchées, le thym, le laurier, du sel, du poivre. Amener à ébullition. Laisser bouillir 20 minutes. Ajouter les morceaux de

lapin. Laisser cuire 20 minutes environ.
— Nettoyer le chou. Le laver. Le couper en morceaux et le blanchir 2 minutes à l'eau bouillante salée. Nettoyer et laver les poireaux. Brosser et nettoyer les carottes et les navets. Ajouter dans la marmite avec le lapin. Laisser cuire encore pendant 30 minutes.
— Disposer les morceaux de lapin sur un plat. Entourer avec les légumes.

JARDINIERE PRINTANIERE

Par portion : Calories : 212 ; Fibres : 10,12 g

400 g de petits pois écossés
200 g de carottes nouvelles
200 g de navets nouveaux
1 botte de petits oignons
1 petite laitue
sel

— Eplucher et laver les oignons. Brosser et laver les carottes. Les couper en quatre dans le sens de la longueur. Brosser et laver les navets. Les couper en dés. Nettoyer et laver la laitue. Egoutter. Couper en quatre.
— Mettre les petits oignons dans une cocotte à revêtement anti-adhésif. Leur faire rendre leur eau pendant 5 minutes environ. Ajouter les carottes et la laitue. Faire revenir 5 minutes. Ajouter les navets et les petits pois. Verser 2 verres d'eau. Saler. Mélanger et laisser cuire à feu doux pendant 30 minutes.

SALSIFIS SAUTES

Par portion : Calories : 210 ; Fibres : 6,4 g

800 g de salsifis au naturel
1 citron
30 g de margarine
fines herbes

— Egoutter les salsifis.
— Faire fondre la margarine dans une sauteuse à revêtement antiadhésif. Y verser les salsifis. Secouer la sauteuse pour qu'ils s'imprègnent de corps gras. Arroser de jus de citron. Laisser cuire doucement pendant 10 minutes.
— Servir saupoudré de fines herbes hachées.

TOMATES A LA PROVENÇALE

Par portion : Calories : 147 ; Fibres : 5,56 g

6 grosses tomates
2 gousses d'ail
130 g de mie de pain complet rassis
persil
1 cuillerée à soupe d'huile
sel

— Laver et essuyer les tomates. Les couper en deux. Saler légèrement la coupure. Retourner les tomates pour que le surplus de jus s'écoule.
— Emietter le pain rassis. Eplucher et hacher l'ail. Laver, sécher et hacher le persil. Mélanger mie de pain, ail et persil hachés.
— Disposer les demi-tomates dans un plat à four à revêtement antiadhésif. Les recouvrir du mélange ci-dessus. Répartir l'huile par-dessus. Faire cuire à four chaud pendant 30 minutes.

LES CEREALES COMPLETES

Les fibres des céréales sont les plus intéressantes. Et il existe beaucoup de possibilités pour employer des céréales complètes en guise de « légumes », seules ou accompagnées de légumes verts : blé concassé (pilpil), riz brun (aujourd'hui vendu prétraité, c'est-à-dire étuvé dans ses balles avant que l'on retire les enveloppes inconsommables, ce qui lui confère une teneur maximale en vitamine B1 et permet une cuisson aussi rapide que celle du riz blanc), flocons d'avoine. Dans les recettes suivantes, nous avons utilisé, en moyenne, 30 g de céréales par portion, soit l'équivalent en Calories d'une pomme de terre de 100 g ou de 40 g de pain complet.

PILPIL AUX AUBERGINES

Par portion : Calories : 224 ; Fibres : 4,42 g

100 g de pilpil de blé
2 petites aubergines (300 g environ)
200 g de reste de gigot haché au dernier moment
1 oignon
1 cuillerée à soupe d'huile d'olive
persil
sel
poivre

— Retirer le pédoncule des aubergines. Laver et essuyer. Couper en tranches fines. Mettre dans une passoire en saupoudrant de gros sel au fur et à mesure. Laisser dégorger pendant 30 minutes. Egoutter. Essuyer.
— Eplucher, laver et émincer l'oignon.
— Faire chauffer l'huile dans une cocotte à revêtement antiadhésif. Y faire revenir les oignons, puis ajouter les aubergines. Mélanger. Faire cuire 20 minutes environ en remuant de temps en temps.
— Ajouter la viande. Remuer pour bien l'émietter. Saler, poivrer.

Ajouter le pilpil. Remuer. Mouiller avec 1/2 l de bouillon. Couvrir et laisser cuire 25 minutes environ.
— Verser dans un plat (éliminer le liquide restant s'il y en a). Saupoudrer de persil haché.

PILPIL AU VERT

Par portion : Calories : 124 ; Fibres : 6,54 g

---

100 g de pilpil de blé
100 g d'épinards
100 g d'oseille
2 poireaux moyens
10 g de margarine
persil
cerfeuil
sel
poivre

— Nettoyer, laver, égoutter l'oseille et les épinards. Nettoyer, laver et émincer les poireaux. Couper les feuilles d'oseille et d'épinards en chiffonnade.
— Faire chauffer la margarine dans une sauteuse à revêtement antiadhésif. Y verser les légumes. Remuer. Laisser réduire 20 minutes à feu doux en remuant régulièrement. Saler, poivrer.
— Ajouter le pilpil. Mélanger. Verser 0,300 l d'eau ou de bouillon chauds. Couvrir et laisser cuire pendant 20 minutes environ. Le liquide doit être complètement absorbé. Verser dans un plat. Saupoudrer de persil et cerfeuil hachés.

PILPIL AUX TOMATES

Par portion : Calories : 128 ; Fibres : 3,4 g

---

100 g de pilpil de blé
500 g de tomates
1 oignon

1 cuillerée à soupe d'huile d'olive
thym
sel
poivre

— Laver et essuyer les tomates. Les couper en morceaux. Eplucher, laver et émincer l'oignon.
— Faire chauffer l'huile dans une cocotte à revêtement antiadhésif. Y faire revenir l'oignon. Verser 0,300 l de bouillon. Remuer. Ajouter les tomates. Couvrir et laisser cuire doucement jusqu'à ce que tout le bouillon soit absorbé. Saler, poivrer.

PALETS AUX FLOCONS D'AVOINE

Par portion : Calories : 188 ; Fibres : 5,22 g

150 g de flocons d'avoine
1 oignon
1 œuf
ciboulette
persil
sel
poivre
cannelle en poudre

— Mettre les flocons d'avoine dans une casserole. Verser par-dessus 3/4 de litre d'eau très chaude. Couvrir et laisser cuire doucement pendant 30 minutes. Retirer le couvercle et achever la cuisson à feu vif sans cesser de remuer jusqu'à ce qu'on obtienne une sorte de purée. Saler, poivrer. Ajouter un peu de cannelle.
— Eplucher, laver et émincer très finement l'oignon. Hacher ciboulette et persil.
— Hors du feu, ajouter à la bouillie de flocons d'avoine l'œuf entier, l'oignon et les herbes hachées. Bien mélanger. Etaler sur une planche ou toute autre surface plane. Lisser pour obtenir une plaque de 1 cm d'épaisseur environ.
— Lorsque le mélange est bien froid, le découper en carrés réguliers. Recouvrir une plaque à four avec de l'aluminium ménager. Y déposer les petits palets carrés. Faire cuire 5 minutes à four chaud.

SOUFFLE AUX FLOCONS D'AVOINE

Par portion : Calories : 204 ; Fibres : 2,37 g

150 g de flocons d'avoine
0,200 l de lait écrémé
4 œufs
ciboulette
persil
sel
poivre
noix muscade

— Mettre les flocons d'avoine dans une casserole. Couvrir avec 1/2 l d'eau chaude. Couvrir et laisser cuire doucement pendant 30 minutes. Retirer le couvercle. Faire dessecher cette sorte de purée. Ajouter peu à peu le lait écrémé chaud sans cesser de tourner. Saler, poivrer. Râper un peu de noix muscade.

— Hors du feu, ajouter les fines herbes hachées et les jaunes d'œufs.

— Battre les blancs en neige et les ajouter à la préparation précédente.

— Verser dans un moule à soufflé à revêtement antiadhésif. Faire cuire à four chaud pendant 40 minutes environ. Servir dès la sortie du four.

CROQUETTES AUX FLOCONS D'AVOINE

Par portion : Calories : 133 ; Fibres : 1,87 g

150 g de flocons d'avoine
1 oignon
2 jaunes d'œufs
10 g de margarine
ciboulette
sel

poivre
noix muscade

— Mettre les flocons d'avoine dans une casserole avec 3/4 de litre de bouillon ou d'eau très chauds. Couvrir et laisser cuire doucement pendant 30 minutes. Retirer le couvercle et achever la cuisson à feu vif sans cesser de remuer jusqu'à ce qu'on obtienne une sorte de purée. Saler, poivrer, ajouter un peu de noix muscade et la ciboulette hachée. Hors du feu, ajouter les deux jaunes d'œufs.
— Eplucher, laver et émincer l'oignon.
— Faire fondre la margarine dans une poêle à revêtement anti-adhésif. Y faire revenir l'oignon. Puis, y faire dorer la bouillie de flocons d'avoine en faisant de petites croquettes à la main. Faire dorer des deux côtés. Servir bien chaud.

CHOU FARCI AU RIZ BRUN

Par portion : Calories : 252 ; Fibres : 3,95 g

---

120 g de riz brun prétraité
1 chou vert
2 oignons
2 œufs
1 gousse d'ail
persil
sel
poivre

— Laver le chou. Retirer les feuilles extérieures. Blanchir 10 minutes dans de l'eau bouillante salée. Egoutter.
— Ecarter les feuilles du chou et retirer celles du centre.
— Eplucher et laver les oignons. Eplucher l'ail.
— Hacher les feuilles retirées du chou avec les oignons, l'ail, le persil. Ajouter les deux œufs et le riz cru. Saler, poivrer.
— Mettre une partie de la farce au centre du chou. Refermer quelques feuilles sur elle. Entourer d'un peu de farce. Refermer encore quelques feuilles. Entourer de farce ... Continuer ainsi jusqu'à ce que la farce soit épuisée.
— Mettre le chou dans une cocotte après l'avoir ficelé pour que la

farce ne s'échappe pas. Verser 1/2 l de bouillon.
— Laisser mijoter doucement pendant 2 h 30 environ.
— Servir chaud ou froid.

RIZ BRUN AUX COURGETTES

Par portion : Calories : 162 ; Fibres : 3,62 g

150 g de riz brun prétraité
2 courgettes moyennes
400 g de tomates
1 oignon
2 gousses d'ail
1 cuillerée à soupe d'huile d'olive
sel
poivre
menthe fraîche

— Faire cuire le riz dans 2 fois 1/2 son volume d'eau bouillante salée. Tout le liquide doit être absorbé.
— Laver les courgettes. Retirer le pédoncule. Hacher en petits morceaux. Laver les tomates, les essuyer et les couper en petits morceaux. Eplucher, laver et émincer l'oignon.
— Faire chauffer l'huile dans une sauteuse à revêtement antiadhésif. Y faire revenir l'oignon. Ajouter les tomates et les courgettes et laisser cuire 30 minutes environ. Ajouter le riz. Laisser cuire environ 10 minutes. Saler, poivrer. Ajouter l'ail haché et saupoudrer de menthe fraîche.

PILAF AUX CHAMPIGNONS

Par portion : Calories : 263 ; Fibres : 4,54 g

120 g de riz brun prétraité
300 g de girolles
500 g de tomates
1 oignon

1 gousse d'ail
1 cuillerée à soupe d'huile
persil
sel
poivre

— Eplucher, laver et émincer l'oignon. Le faire revenir dans l'huile chaude dans une cocotte à revêtement antiadhésif. Ajouter le riz. Mélanger. Ajouter 2 verres d'eau chaude.
— Laver et essuyer les tomates. Les couper en petits morceaux et ajouter à la préparation précédente. Faire cuire environ 20 minutes. Il ne doit plus rester de liquide.
— Nettoyer et essuyer les girolles. Les couper en lamelles. Les faire cuire dans une poêle à revêtement antiadhésif en remuant souvent jusqu'à évaporation de leur eau de constitution. Ajouter au riz cuit. Saler, poivrer.
— Saupoudrer d'ail et de persil hachés.

PILAF AUX LEGUMES

Par portion : Calories : 408 ; Fibres : 4,89 g

500 g de bœuf
120 g de riz brun prétraité
4 tomates
1 petite aubergine
1 petite courgette
1 poivron vert
1 gousse d'ail
1 cuillerée à soupe d'huile d'olive
sel
poivre

— Couper la viande en minces lamelles.
— Laver et essuyer les tomates. Laver courgette et aubergine et retirer les pédoncules. Couper tous ces légumes en cubes. Laver le poivron. Retirer le pédoncule et les graines. Couper en minces lamelles. Eplucher, laver et émincer l'oignon.
— Faire chauffer l'huile chaude dans une cocotte à revêtement

antiadhésif. Y faire revenir l'oignon. Ajouter le riz. Remuer. Ajouter les légumes. Couvrir et laisser étuver 5 minutes à feu doux. Ajouter 1/2 l d'eau et laisser cuire jusqu'à absorption complète du liquide. Saler.
— Faire griller les lamelles de viande sur un gril bien chaud. Ajouter au mélange ci-dessus.
— Verser dans un plat et saupoudrer de persil haché.

RIZ A LA CINGHALAISE

Par portion : Calories : 206 ; Fibres : 3,42 g

---

120 g de riz brun prétraité
30 g de raisins secs
50 g d'amandes
sel
poivre
cannelle

— Mettre le riz brun dans une casserole. Verser par-dessus 2 fois 1/2 son volume d'eau chaude. Faire cuire jusqu'à absorption du liquide. Ajouter les raisins secs à mi-cuisson.
— Celle-ci terminée, saler, poivrer. Ajouter un peu de cannelle et les amandes hachées. Mélanger.
— Servir chaud ou froid.

RISOTTO AUX LEGUMES

Par portion : Calories : 230 ; Fibres : 8,26 g

---

120 g de riz brun prétraité
200 g de champignons de Paris
4 fonds d'artichauts cuits
150 g de haricots verts cuits
1 oignon
1 cuillerée à soupe d'huile
sel

poivre
safran

— Eplucher et laver l'oignon. L'émincer.
— Faire chauffer l'huile dans une sauteuse à revêtement antiadhésif . Y faire revenir l'oignon. Ajouter le riz. Mélanger. Ajouter 2 fois 1/2 le volume du riz en bouillon chaud. Laisser cuire doucement jusqu'à ce que tout le liquide soit absorbé.
— Couper les artichauts et les haricots verts en petits dés.
— Nettoyer les champignons de Paris. Les essuyer et les émincer. Leur faire rendre leur eau dans une poêle chaude à revêtement antiadhésif.
— Saler et poivrer le riz cuit. Lui ajouter un peu de safran. Remuer. Ajouter les légumes et les champignons. Couvrir et laisser chauffer quelques minutes.

FOIE DE VEAU A LA GRECQUE

Par portion : Calories : 323 ; Fibres : 2,72 g

4 tranches de foie de veau de 125 g environ
120 g de riz brun prétraité
2 tomates
1 oignon
1 cuillerée à soupe d'huile
sel
poivre
poivre de Cayenne

— Laver et essuyer les tomates. Couper en petits morceaux. Eplucher, laver et émincer l'oignon.
— Faire chauffer l'huile dans une sauteuse à revêtement antiadhésif. Y faire revenir l'oignon. Ajouter le riz. Remuer. Ajouter les tomates. Mouiller avec 2 fois 1/2 le volume du riz (eau ou bouillon chauds). Laisser cuire doucement jusqu'à ce que le liquide soit absorbé.
— Couper le foie de veau en grosses lamelles. Faire griller à la poêle sur les deux côtés.
— Ajouter au riz cuit. Mélanger. Saler, poivrer. Ajouter un peu de poivre de Cayenne.

CABILLAUD AU PAMPLEMOUSSE ET AU RIZ BRUN

Par portion : Calories : 212 ; Fibres : 1,51 g

4 beaux filets de cabillaud
120 g de riz brun prétraité
2 pamplemousses
1/2 verre de vin blanc
persil
sel
poivre
paprika

— Disposer les filets de cabillaud dans un plat à four. Saler, poivrer. Ajouter le vin blanc et 1 verre d'eau. Faire cuire 20 minutes à four chaud.
— Faire cuire le riz 20 minutes à l'eau bouillante salée. Egoutter.
— Presser le jus d'un pamplemousse. Saler, poivrer. Eplucher le second pamplemousse. Le diviser en tranches. Arroser les filets de cabillaud de jus de pamplemousse. Recouvrir avec les tranches. Remettre au four 5 minutes. Saupoudrer de paprika.
— Disposer le riz dans un plat. Et répartir le poisson par-dessus.

HAMBURGERS AU RIZ

Par portion : Calories : 312 ; Fibres : 1,79 g

400 g de steak haché au dernier moment
250 g de riz brun prétraité cuit
2 œufs
1 échalote
persil
sel
poivre

— Eplucher et hacher l'échalote.
— Dans une terrine, mélanger le riz cuit, le bifteck haché, l'échalote et le persil hachés. Ajouter les deux œufs.
— Façonner en 4 hamburgers. Les faire cuire sur un gril à revêtement antiadhésif bien chaud. Saler et poivrer en fin de cuisson.

LES LEGUMES SECS

Les légumes secs, graines de légumineuses séchées, sont des sources très importantes de fibres : haricots Soissons, flageolets, haricots rouges, lentilles, pois cassés, pois chiches... Relativement « jeunes » aujourd'hui (ils datent de l'été précédent), ils ne demandent plus le long trempage d'autrefois. Il suffit de faire précéder la cuisson proprement dite d'une précuisson débutant ***à l'eau froide***. L'eau chaude les rendrait durs. Toujours pour les garder tendres, on ne sale que dans la dernière partie de la cuisson.

Les légumes secs ne sont pas toujours bien tolérés — surtout quand on a perdu l'habitude de consommer beaucoup de fibres alimentaires. Les recettes suivantes ne doivent donc pas entrer dans les menus des premières semaines du Plan-Fibres. Ces recettes sont établies sur une moyenne de 50 g de légumes secs (poids cru) par personne. Ce qui représente près de deux fois plus de glucides et de Calories que 100 g de pommes de terre. Mais les légumes secs apportent aussi des protéines. Leur valeur biologique, un peu déficiente, est rééquilibrée par l'apport d'une petite portion de viande. Moins importante que celle qui accompagnerait des pommes de terre. Et comme la viande c'est toujours plutôt gras...

HARICOTS A LA MAITRE D'HOTEL

Par portion : Calories : 165 ; Fibres : 14,22 g

200 g de haricots secs (Soissons ou flageolets)
2 oignons moyens
1 carotte
1 clou de girofle
persil
bouquet garni
sel
poivre

— Laver rapidement les haricots sous l'eau froide.
— Les mettre dans une casserole. Couvrir d'eau froide. Porter à

ébullition. Laisser bouillir 5 minutes.
— Pendant ce temps, éplucher et laver les oignons. Brosser la carotte sous l'eau froide. Couper la carotte en rondelles. Piquer le clou de girofle dans l'un des oignons. Laver et sécher persil et bouquet garni.
— Dans un faitout mettre 2 litres d'eau, le bouquet garni, les rondelles de carottes et les oignons. Porter à ébullition.
— Egoutter les haricots après leur précuisson. Les plonger dans le bain de cuisson dès qu'il commence à bouillir. Laisser cuire 30 minutes. Saler. Laisser cuire encore 45 minutes environ.
— Egoutter. Mettre dans un plat creux. Poivrer légèrement et recouvrir de persil haché.

La même recette s'applique aux lentilles et aux pois chiches.

HARICOTS A LA BRETONNE

Par portion : Calories : 219 ; Fibres : 14,22 g

---

200 g de haricots blancs secs
4 oignons moyens
1 carotte
1 gousse d'ail
3 cuillerées à soupe de concentré de tomate
30 g de margarine
20 g de farine complète
1 clou de girofle
sel
poivre

— Faire cuire les haricots comme ci-dessus. Pendant ce temps, éplucher et laver les deux oignons supplémentaires. Les émincer. Eplucher et hacher l'ail.
— Faire fondre le corps gras dans une casserole à revêtement antiadhésif. Y faire revenir les oignons. Quand ils sont bien dorés, saupoudrer de farine. Remuer. Mouiller avec 0,400 l d'eau. Laisser cuire sur feu doux jusqu'à épaississement. Ajouter le concentré de tomates. Saler, poivrer.
— Egoutter les haricots. Les remettre dans le faitout où ils ont cuit.

Verser la sauce par-dessus. Mélanger. Laisser chauffer pendant quelques secondes.
— Verser dans un plat et servir bien chaud.

SALADE DE HARICOTS BLANCS A LA MORUE

Par portion : Calories : 312 ; Fibres : 14,75 g

200 g de haricots blancs secs
2 oignons moyens
1 carotte
1 clou de girofle
1 bouquet garni
250 g de filets de morue salée
2 tomates bien fermes
3 cuillerées à soupe d'huile d'olive
1 cuillerée à soupe de vinaigre
1 cuillerée à café de moutarde
persil
poivre

— Préparer les haricots à la maître d'hôtel comme ci-dessus. Laisser tiédir.
— Mettre les filets de morue dans une grande casserole. Recouvrir d'eau froide. Porter doucement à ébullition. Laisser frémir doucement pendant 10 minutes environ. Laisser refroidir dans l'eau de cuisson. Egoutter.
— Laver et essuyer les tomates. Les couper en tranches.
— Préparer la vinaigrette, sans la saler, dans le fond d'un saladier. Disposer par-dessus la morue effeuillée, les tomates, les haricots. Mélanger.
— Saupoudrer de persil haché avant de servir.

FLAGEOLETS AUX BETTES

Par portion : Calories : 201 ; Fibres : 16,27 g

200 g de flageolets secs
500 g de côtes de bettes
1 oignon
1 carotte
bouquet garni
1 clou de girofle
20 g de corps gras à 41 %
persil
sel
poivre

— Préparer les flageolets à la maître d'hôtel comme ci-dessus.

— Nettoyer les côtes de bettes. Laver. Couper en petits morceaux.

— Faire cuire 15 minutes à l'eau bouillante salée. Egoutter.

— Mettre dans une cocotte haricots et bettes egouttés. Chauffer. Ajouter le corps gras et du persil haché. Mélanger. Servir bien chaud.

SALADE DE HARICOTS A LA MENTHE

Par portion : Calories : 175 ; Fibres : 13,4 g

---

100 g de haricots Soissons secs
100 g de flageolets secs
1 petit bulbe de fenouil
1 citron
1 bouquet de menthe fraîche
1 oignon
1 carotte
1 clou de girofle
bouquet garni
1 cuillerée à soupe d'huile d'olive
2 cuillerées à soupe d'huile de paraffine
sel, poivre

— Faire cuire les deux sortes de haricots à la maître d'hôtel comme ci-dessus. Egoutter. Laisser tiédir.

— Nettoyer le fenouil. En retirer les parties trop dures. Laver. Emincer.

— Préparer une vinaigrette avec le jus du citron, l'huile d'olive, l'huile de paraffine, du sel, du poivre.
— Mélanger haricots et petits morceaux de fenouil. Recouvrir largement de menthe hachée. Arroser de sauce.

FLAGEOLETS AUX HERBES

Par portion : Calories : 170 ; Fibres : 13,2 g

---

200 g de flageolets secs
1 oignon
1 carotte
bouquet garni
persil
ciboulette
estragon
1/2 citron
sel
poivre

— Faire cuire les flageolets à la maître d'hôtel comme ci-dessus. Egoutter.
— Hacher grossièrement les diverses herbes. En saupoudrer les flageolets. Arroser avec le jus du demi-citron. Bien mélanger.

HARICOTS BLANCS AUX POIREAUX

Par portion : Calories : 247 ; Fibres : 17,57 g

---

200 g de haricots blancs secs
500 g de poireaux
1 oignon
1 carotte
1 clou de girofle
bouquet garni
1 citron
30 g de corps gras à 41 %

persil
sel
poivre

— Faire cuire les haricots à la maître d'hôtel comme ci-dessus. Egoutter.
— Nettoyer et laver les poireaux. Les lier en petites bottes. Les faire cuire 20 minutes à l'eau bouillante salée. Egoutter. Défaire les ficelles. Couper les poireaux en morceaux.
— Mettre les haricots et les morceaux de poireaux dans une marmite. Chauffer doucement en remuant. Arroser de jus de citron. Ajouter le corps gras. Mélanger. Saupoudrer de persil haché.

HARICOTS BLANCS AUX TOMATES

Par portion : Calories : 192 ; Fibres : 14,45 g

---

200 g de haricots blancs secs
500 g de tomates
3 oignons
1 gousse d'ail
bouquet garni
1 clou de girofle
1 cuillerée à soupe d'huile d'olive
persil
sel
poivre

— Faire cuire les haricots à la maître d'hôtel comme ci-dessus.
— Laver et essuyer les tomates. Les couper en quatre. Eplucher et laver 2 oignons. Les émincer.
— Faire chauffer l'huile d'olive dans une poêle à revêtement antiadhésif. Y faire dorer les oignons. Ajouter les quartiers de tomates. Saler, poivrer. Laisser cuire 15 minutes en remuant régulièrement.
— Egoutter les haricots. Les remettre dans la cocotte avec les tomates. Réchauffer quelques minutes. Saupoudrer de persil et d'ail hachés.

LENTILLES AU BASILIC

Par portion : Calories : 168 ; Fibres : 6,15 g

200 g de lentilles (choisir des lentilles triées)
1/2 citron
1 oignon
1 carotte
1 clou de girofle
bouquet garni
1/2 cuillerée à café de graines de cumin
quelques branches de basilic
sel
poivre

— Faire cuire les lentilles à la maître d'hôtel comme ci-dessus en ajoutant les graines de cumin à l'eau de cuisson.
— Egoutter
— Arroser avec le jus du demi-citron. Saupoudrer avec le basilic coupé pas trop fin, aux ciseaux.

LENTILLES AUX OIGNONS

Par portion : Calories : 215 ; Fibres : 7,77 g

200 g de lentilles
4 oignons
1 carotte
1 clou de girofle
bouquet garni
ciboulette
sel
poivre

— Faire cuire les lentilles à la maître d'hôtel comme ci-dessus.
— Eplucher et laver les trois autres oignons. Les détailler en anneaux.
— Egoutter les lentilles. Ajouter les anneaux d'oignons. Saupoudrer de ciboulette hachée.

PUREE DE LENTILLES

Par portion : Calories : 208 ; Fibres : 8 g

200 g de lentilles
300 g de carottes
2 oignons
1 clou de girofle
bouquet garni
persil
sel
poivre

— Laver rapidement les lentilles à l'eau courante.
— Les mettre dans une casserole. Recouvrir d'eau froide. Porter à ébullition. Laisser cuire 30 minutes.
— Dans un faitout, mettre 2 litres d'eau, le bouquet garni, les deux oignons dont l'un est piqué du clou de girofle. Porter à ébullition.
— Egoutter les lentilles. Les mettre cuire dans ce liquide.
— Brosser les carottes sous l'eau courante. Les couper en gros morceaux. Ajouter dans le faitout. Laisser cuire 45 minutes. Saler. Laisser cuire encore 30 minutes. Egoutter.
— Retirer le bouquet garni. Passer au mixer. Poivrer légèrement. Saupoudrer de persil haché.

PUREE DE POIS CASSES

Par portion : Calories : 217 ; Fibres : 14,1 g

200 g de pois cassés.
300 g de carottes
1 oignon
0,100 l de lait écrémé
sel
poivre

— Laver rapidement les pois cassés à l'eau courante.
— Mettre dans une casserole. Recouvrir d'eau froide. Porter à

ébullition. Laisser cuire 30 minutes.
— Pendant ce temps, brosser les carottes à l'eau courante. Eplucher et laver l'oignon.
— Mettre 2 l d'eau dans un faitout. Porter à ébullition. Egoutter les pois cassés. Les verser dans le faitout. Laisser reprendre l'ébullition. Ajouter les carottes et l'oignon. Laisser cuire à petits bouillons pendant 45 minutes. Saler. Laisser cuire encore 30 minutes. Egoutter très soigneusement.
— Mixer en une purée épaisse. Poivrer. Délayer avec le lait écrémé chaud.

SALADE DE POIS CHICHES

Par portion : Calories : 185 ; Fibres : 11,4 g

200 g de pois chiches en conserve
une petite poignée d'oseille
1 citron
2 cuillerées à soupe d'huile de paraffine
1 cuillerée à café de moutarde
persil
sel
poivre

— Egoutter et rincer les pois chiches.
— Nettoyer et laver les feuilles d'oseille. Les hacher. Mettre dans un saladier avec les pois chiches.
— Préparer une vinaigrette avec le jus de citron, la moutarde, sel, poivre et huile de paraffine. Verser sur les pois chiches. Saupoudrer de persil haché.

LENTILLES POPEYE

Par portion : Calories : 205 ; Fibres : 15,17 g

200 g de lentilles
400 g d'épinards surgelés

1 oignon
1 carotte
1 clou de girofle
bouquet garni
1 gousse d'ail
sel
poivre

— Faire cuire les lentilles à la maître d'hôtel comme ci-dessus.
— Faire cuire les épinards comme indiqué sur le mode d'emploi. Egoutter.
— Egoutter les lentilles. Remettre dans le faitout avec les épinards. Mélanger. Chauffer doucement pendant quelques minutes. Poivrer. Saupoudrer d'ail haché.

LENTILLES AU CITRON

Par portion : Calories : 173 ; Fibres : 6,4 g

---

200 g de lentilles
1 oignon
1 carotte
1 clou de girofle
bouquet garni
2 citrons
1 branche de menthe fraîche
persil
cerfeuil
sel
poivre

— Faire cuire les lentilles à la maître d'hôtel comme ci-dessus. Egoutter.
Arroser aussitôt avec le jus des citrons. Poivrer assez largement et saupoudrer de fines herbes hachées.

LES SALADES MELANGEES

On peut tout mettre dans une salade mélangée ; des légumes verts crus et cuits, des légumes secs, de la viande, du poisson, des œufs ... C'est un excellent moyen d'utiliser des restes. En outre, presque toutes ces salades peuvent être saupoudrées de son, ce qui permet de réajuster le taux de fibres de la journée. Il n'y a aucun lien particulier entre les recettes que nous vous donnons ci-dessous, sauf vous proposer des exemples d'utilisations de petites quantités : les deux dernières tomates dont on dispose à la veille du marché, un petit reste de rôti, de poulet ... et de certaines denrées en conserve (poissons au naturel, légumes ...).

Comme pour les crudités, les sauces sont à base de yaourt ou d'huile de paraffine, donc pratiquement sans Calories.

SALADE D'HIVER

Par portion : Calories : 271 ; Fibres : 6,75 g

100 g de riz brun cuit à l'eau et froid
100 g de cerneaux de noix
1/2 chicorée frisée
1/2 chou rouge
50 g de roquefort
1 yaourt
1 cuillerée à soupe d'huile
1 cuillerée à soupe de vinaigre
sel
poivre

— Ecraser le roquefort avec le yaourt. Ajouter l'huile et le vinaigre. Poivrer.

— Eplucher et laver la chicorée et le chou rouge. Egoutter et sécher sur du papier absorbant. Couper en lanières.

— Ecraser les noix

— Mettre dans un saladier le riz, les lanières de chou et de chicorée, les morceaux de noix. Arroser de sauce. Bien mélanger. Servir aussitôt.

SALADE A LA VIANDE FROIDE

Par portion : Calories : 232 ; Fibres : 3,4 g

2 endives
1/2 chou vert
300 g de viande froide (veau, bœuf, porc, poulet)
2 œufs durs
1 yaourt
1 cuillerée à soupe de vinaigre blanc
1 cuillerée à café de moutarde
sel
poivre

— Nettoyer et laver les endives et le chou. Couper les feuilles d'endives en petits morceaux, les feuilles de chou en lanières.
— Mélanger le yaourt et la moutarde. Saler, poivrer. Ajouter le vinaigre.
— Mettre les légumes dans un saladier. Ajouter la viande coupée en gros cubes. Arroser de sauce. Décorer avec des quartiers d'œuf dur.

SALADE D'ENDIVES AUX DEUX JAMBONS

Par portion : Calories : 387 ; Fibres : 11,8 g

500 g d'endives
2 tranches de jambon cuit maigre
2 tranches de jambon cru
75 g de cerneaux de noix
2 cuillerées à soupe d'huile de paraffine
1 cuillerée à soupe de vinaigre
1 cuillerée à café de moutarde
sel
poivre
paprika

— Retirer le gras du jambon. Couper en fines lamelles.

— Nettoyer et laver les endives. Couper les feuilles en petits morceaux. Ecraser les cerneaux de noix.
— Faire une vinaigrette avec le vinaigre, la moutarde, sel, poivre et huile de paraffine.
— Mettre les endives et les lamelles de jambon dans un saladier. Saupoudrer de paprika. Arroser de sauce. Mélanger. Recouvrir avec les cerneaux de noix écrasés.

SALADE AU POULET

Par portion : Calories : 118 ; Fibres : 5,12 g

1 belle laitue ou 2 petites
100 g de riz brun cuit et froid
300 g de carottes
300 g de poulet froid
3 branches de céleri
2 cuillerées à soupe d'huile de paraffine
1 cuillerée à soupe de vinaigre
1 cuillerée à café de moutarde
sel
poivre

— Nettoyer et laver la laitue. Sécher sur un papier absorbant. Détacher les feuilles. Couper les plus grosses en deux.
— Brosser les carottes sous l'eau courante. Les râper. Nettoyer et laver les branches de céleri. Les couper en petits morceaux.
— Couper le poulet froid en petits dés.
— Faire la vinaigrette.
— Disposer la laitue dans le fond d'un saladier. Répartir par-dessus les carottes, les morceaux de céleri et les cubes de poulet. Arroser de sauce.

SALADE NIÇOISE

Par portion : Calories : 265 ; Fibres : 9,9 g

3 pommes de terre en robe des champs
250 g de haricots verts cuits ou en conserve
3 tomates
300 g de thon au naturel
2 œufs durs
10 olivres noires
3 cuillerées à soupe d'huile de paraffine
1 cuillerée à soupe de vinaigre
1 cuillerée à café de moutarde
sel
poivre

— Egoutter le thon. Le diviser en gros morceaux.
— Couper les pommes de terre en tranches fines. Laver et essuyer les tomates. Les couper en quartiers.
— Faire la vinaigrette.
— Dans un saladier, mettre les haricots verts, les rondelles de pommes de terre, les quartiers de tomates, les morceaux de thon. Arroser de vinaigrette. Mélanger. Décorer avec des quartiers d'œufs durs et des olives noires.

SALADE DE TREVISE

Par portion : Calories : 201 ; Fibres : 3,22 g

---

300 g de trévise (toute petite laitue rouge)
2 tomates
1 poivron vert
400 g de rosbif froid
2 cuillerées à soupe d'huile de paraffine
1 cuillerée à soupe de vinaigre
1 cuillerée à café de moutarde
persil
quelques gouttes de tabasco
1 cuillerée à soupe de son
sel
poivre

— Nettoyer et laver la salade. Egoutter et sécher sur du papier absorbant. Détacher les feuilles.

— Laver le poivron. Retirer le pédoncule et les graines. Couper en lanières. Laver et essuyer les tomates. Couper en quartiers.
— Préparer la vinaigrette.
— Couper les tranches de rosbif en lanières.
— Disposer la salade au fond d'un saladier. Répartir par-dessus les quartiers de tomates et les lanières de viande.
— Saupoudrer de son. Décorer de lanières de poivron et arroser de sauce.

SALADE AUX CORNICHONS

Par portion : Calories : 249 ; Fibres : 6,45 g

---

1 laitue
200 de fonds d'artichauts en conserve
1 bulbe de fenouil
2 carottes
200 g de céleri-rave
400 g de poulet ou veau froid
6 cornichons
1 yaourt
1 jaune d'œuf dur
1 cuillérée à café de moutarde
1 citron
sel
poivre

— Nettoyer et laver la laitue. Egoutter et sécher sur un papier absorbant. Découper en chiffonnade.
— Egoutter et rincer les fonds d'artichauts. Brosser les carottes sous l'eau courante. Les râper. Nettoyer et laver le fenouil. L'émincer. Nettoyer et laver le céleri-rave. Le râper. Additionner d'un peu de jus de citron pour qu'il ne noircisse pas.
— Découper le poulet en lamelles. Hacher les cornichons.
— Ecraser le jaune d'œuf dur avec la moutarde. Délayer avec le yaourt. Saler, poivrer. Ajouter le restant du jus de citron.
— Dans un saladier, disposer la chiffonnade de laitue, les carottes et le céleri râpés, les lamelles de poulet, le fenouil émincé, les fonds d'artichauts coupés en morceaux et les cornichons hachés. Recouvrir de sauce. Mélanger.

SALADE DE SAUMON

Par portion : Calories : 125 ; Fibres : 4,2 g

1 scarole
1 petit céleri-rave (200 g environ)
2 tomates
2 œufs durs
200 g de saumon au naturel
2 cuillerées à soupe d'huile de paraffine
1 cuillerée à soupe de vinaigre
1 cuillerée à café de moutarde
persil
sel
poivre

— Egoutter le saumon et l'effeuiller.
— Nettoyer et laver la salade. Egoutter et sécher sur un papier absorbant. Séparer les feuilles. Diviser les plus grosses. Laver et essuyer les tomates. Les couper en tranches. Laver et râper le céleri.
— Faire la vinaigrette.
— Mettre les légumes dans un saladier. Disposer le saumon par-dessus.
— Arroser de sauce. Saupoudrer d'œuf dur râpé et de persil haché.

SALADE DE CHICOREE FANTAISIE

Par portion : Calories : 354 ; Fibres : 5,15 g

100 g de pain complet rassis
1 chicorée frisée
12 cerneaux de noix
400 g de rôti de porc froid
2 gousses d'ail
2 cuillerées à soupe d'huile de paraffine
1 cuillerée à soupe de vinaigre

ciboulette
sel
poivre

— Eplucher les gousses d'ail. Frotter le saladier avec l'une d'elles. Faire griller le pain rassis. Le frotter d'ail et diviser en petits cubes.
— Nettoyer et laver la chicorée. Egoutter et sécher sur un papier absorbant. Bien séparer les feuilles.
— Couper la viande froide en petits cubes.
— Faire la vinaigrette. La mettre au fond du saladier. Déposer la chicorée par-dessus. Ajouter les petits croûtons et les cubes de viande. Saupoudrer de ciboulette hachée.

SALADE A LA TOMATE ET AU VEAU

Par portion : Calories : 237 ; Fibres : 3,9 g

1 laitue
400 g de rôti de veau froid
4 tomates
1 oignon
1 citron
1 yaourt
1 cuillerée à café de moutarde
sel
poivre

— Nettoyer et laver la laitue. Egoutter et sécher sur un papier absorbant. Couper en chiffonnade.
— Eplucher et laver l'oignon. Le diviser en anneaux.
— Laver et essuyer les tomates. Les couper en quartiers.
— Mélanger le yaourt et la moutarde. Délayer avec le jus du citron. Saler, poivrer.
— Mettre la chiffonnade de laitue dans le fond d'un saladier. Disposer par dessus le rôti de veau coupé en lamelles et les quartiers de tomates. Arroser de sauce. Recouvrir avec les anneaux d'oignons.

SALADE DE DECEMBRE

Par portion : Calories : 172 ; Fibres : 10,9 g

2 carottes
200 g de céleri-rave
2 branches de céleri
200 g de haricots blancs en conserve au naturel
1 petite laitue
1 citron
2 cuillerées à soupe d'huile de paraffine
1 cuillerée à soupe de vinaigre
1 cuillerée à café de moutarde
persil
sel
poivre

— Brosser les carottes sous l'eau courante. Les râper. Nettoyer le céleri. Le râper. L'arroser de jus de citron.
— Nettoyer et laver la laitue. Egoutter et sécher sur un papier absorbant. Couper en chiffonnade.
— Egoutter et rincer les haricots blancs.
— Faire la vinaigrette.
— Sur un grand plat, disposer côte à côte tous les légumes. Saupoudrer de persil haché. Servir la sauce à part.

SALADE DE TOMATES AUX POMMES

Par portion : Calories : 112 ; Fibres : 6,46 g

500 g de tomates
2 pommes
1 citron
1 oignon
2 cuillerées à soupe d'huile de paraffine
1 cuillerée à soupe de vinaigre
1 cuillerée à café de moutarde

sel
poivre
— Laver et sécher les tomates et les pommes. Couper les tomates en tranches. Couper les pommes en tranches très minces. Les arroser de jus de citron pour qu'elles restent bien blanches. Eplucher, laver et hacher l'oignon.
— Faire la vinaigrette.
— Disposer les tomates et les pommes dans un saladier. Saupoudrer d'oignon haché et arroser de sauce.

SALADE DE CHOUX DE BRUXELLES AUX FOIES DE VOLAILLES

Par portion : Calories : 280 ; Fibres : 7 g

1 kilo de choux de Bruxelles
300 g de foies de volailes
1 échalote
2 cuillerées à soupe d'huile d'olive
1 cuillerée à soupe de vinaigre
sel
poivre
— Nettoyer les choux de Bruxelles. Les laver. Les faire cuire 20 minutes à l'eau bouillante salée. Egoutter. Laisser tiédir.
— Faire sauter les foies de volailles dans une cuillérée à soupe d'huile dans une poêle à revêtement antiadhésif. Saler, poivrer. Découper en lanières.
— Déglacer la poêle avec le vinaigre. Verser dans un bol. Ajouter la seconde cuillérée d'huile d'olive et l'échalote hachée.
— Disposer les choux de Bruxelles tièdes dans un saladier. Répartir les morceaux de foie par dessus. Arroser de sauce. Mélanger.

SALADE RIZ, TOMATES, THON

Par portion : Calories : 192 ; Fibres : 2,6 g

100 g de riz brun cuit
500 g de tomates
1 bulbe de fenouil
330 g de thon au naturel
2 cuillerées à soupe d'huile de paraffine
1 cuillerée à soupe de vinaigre
1 cuillerée à café de moutarde
persil
sel
poivre

— Nettoyer le fenouil. Le laver. L'émincer.
— Egoutter le thon. L'effeuiller.
— Laver et essuyer les tomates. Les couper en quartiers.
— Faire la vinaigrette.
— Mettre le riz au fond d'un saladier. Répartir par dessus les morceaux de thon, le fenouil, les quartiers de tomates. Saupoudrer de persil haché.
— Arroser de sauce.

SALADE DE POULET AUX LEGUMES

Par portion : Calories : 158 ; Fibres : 3,17 g

---

200 g de poulet froid
2 œufs durs
200 g de haricots verts cuits ou en conserve
1 petite betterave cuite
1 oignon
2 cuillerées à soupe d'huile de paraffine
1 cuillerée à soupe de vinaigre
1 cuillerée à café de moutarde
ciboulette
sel
poivre

— Couper le poulet en minces lamelles.
— Eplucher les œufs durs et les couper en quartiers.
— Eplucher la betterave et la couper en petits cubes.

— Eplucher et laver l'oignon. Le diviser en anneaux.
— Faire la vinaigrette.
— Dans un saladier, disposer les haricots verts et les cubes de betterave. Poser les lamelles de poulet et les quartiers d'œufs durs par dessus. Recouvrir d'anneaux d'oignon et de ciboulette hachée. Arroser de sauce.

LES CANAPES ET LES SANDWICHES

Un sandwich c'est commode à emporter lorsqu'on déjeune à l'extérieur. Un canapé, c'est commode à manger lorsqu'on ne veut pas manquer le dernier épisode de « Dallas » et que l'on a décidé pour cela de manger face à J.R.

Les recettes ci-dessous sont préparées avec du pain complet, sur la base d'une tranche de pain de 15 g, soit 51 Calories et 0,62 g de fibres. Si vous utilisez du pain au son, comptez, en moyenne, 1,36 g de fibres de plus par tranche. Utilisez du pain préemballé en tranches (pas trop frais). Vous connaîtrez le poids exact de chaque tranche et sa teneur en son.

Par ailleurs, nous vous donnons, pour commencer, des recettes de « mayonnaise » et de « beurres » maniés minceur qui vous permettront de tartiner le pain, sous la garniture, avec un minimum de Calories.

MAYONNAISE MINCEUR

Par portion : Calories : 31

Pour 6 canapés ou sandwiches (on met une couche plus fine sur chaque tranche d'un sandwich) :

150 g de fromage blanc à 0 % de m.g.
2 jaunes d'œufs durs
1 cuillerée à soupe de moutarde
1/2 cuillerée à café de tomato-ketchup
sel
poivre

— Piler les jaunes d'œufs encore tièdes avec la moutarde et le tomato-ketchup. Saler, poivrer.
— Battre le fromage blanc pour le rendre plus onctueux. L'ajouter peu à peu au mélange précédent.

SAUCE ANDALOUSE

Ajouter à la « mayonnaise » une cuillerée à soupe de concentré de tomates et un petit poivron rouge coupé en dés.

SAUCE TARTARE

Ajouter à la « mayonnaise » des fines herbes et un petit oignon hachés.

SAUCE VERTE

Ajouter à la « mayonnaise » un hachis composé de quelques branches de cresson et de fines herbes.

SAUCE MOUTARDE

Doubler la quantité de moutarde utilisée pour la préparation. Ajouter un ou deux cornichons hachés.
Conserver la sauce inutilisée dans une boîte de plastique fermée, au réfrigérateur, pendant 2 ou 3 jours.

« BEURRE » D'ANCHOIS

Par portion (voir ci-dessous) : Calories : 68

80 g de corps gras à 41 %
30 g de filets d'anchois

— Mettre les filets d'anchois dans un mortier. Piler.
— Ajouter peu à peu le corps gras jusqu'à ce que le mélange soit bien homogène.

« BEURRE » DE CRESSON

Par portion (voir ci-dessous) : Calories : 68

80 g de corps gras à 41 %
4 branches de cresson
1/2 citron
— Hacher menu le cresson. Ajouter un peu de jus de citron. Incorporer peu à peu le corps gras.

« BEURRE » D'HERBES

Par portion (voir ci-dessous) : Calories : 61

---

80 g de corps gras à 41 %
ciboulette
estragon
persil
1/2 citron
poivre
— Hacher menu toutes les herbes. Ajouter un peu de jus de citron et de poivre. Incorporer peu à peu le corps gras.

« BEURRE » DE MOUTARDE

Par portion (voir ci-dessous) : Calories : 72

---

80 g de corps gras à 41 %
1 jaune d'œuf dur
1,5 cuillerée à café de moutarde
persil
— Ecraser le jaune d'œuf dur avec la moutarde pour obtenir un mélange bien lisse. Ajouter un peu de persil haché. Incorporer peu à peu le corps gras.

On peut préparer avec ces quantités 10 canapés (10 portions) ou 5 sandwiches.
Rouler le corps gras inutilisé et le conserver au réfrigérateur 3 ou 4 jours ou, plus longtemps, au congélateur.

Les recettes ci-dessous sont données pour 1 personne.

CANAPE TOMATE OEUF DUR

Par portion : Calories : 179 ; Fibres : 2,1 g

1 petite tomate
1 œuf dur
mayonnaise
sel

— Laver et essuyer la tomate. La couper en tranches. Saler légèrement et laisser dégorger quelques minutes. Sécher sur du papier absorbant.
— Tartiner le pain de mayonnaise. Répartir par-dessus les rondelles de tomate. Saupoudrer d'œuf dur haché.

CANAPE POMME-PAPRIKA

Par portion : Calories : 144 ; Fibres : 1,85 g

10 g de corps gras à 41 %
30 g de fromage blanc ferme (type petit suisse)
1/2 pomme
jus de citron
paprika

— Emincer la pomme. Recouvrir de jus de citron pour qu'elle ne noircisse pas.
— Tartiner le pain de corps gras, puis de fromage blanc. Disposer les tranches de pomme par-dessus. Saupoudrer de paprika.

CANAPE FROMAGE BLANC ET CRESSON

Par portion : Calories : 122 ; Fibres : 1,32 g

« beurre » de cresson
30 g de fromage blanc ferme
4 branches de cresson

— Nettoyer et laver le cresson. Ne conserver que les feuilles. Tartiner le pain de « beurre » de cresson. Puis de fromage blanc mélangé aux feuilles de cresson.

CANAPE POULET-FROMAGE

Par portion : Calories : 281 ; Fibres : 0,94 g

« beurre » de moutarde
80 g de poulet froid
20 g de gruyère
2 petites feuilles de laitue

— Laver et sécher les feuilles de laitue. Couper en chiffonnade. Couper le poulet et le fromage en lamelles. Tartiner légèrement de « beurre » de moutarde. Mélanger le restant au poulet et au fromage. Déposer la laitue sur le pain, le mélange précédent par-dessus.

CANAPE POMME-FROMAGE

Par portion : Calories : 221 ; Fibres : 1,46 g

10 g de corps gras à 41 %
1/2 pomme
20 g d'edam
1 cerneau de noix

— Hacher la pomme et la mélanger au corps gras. Recouvrir le pain du mélange. Recouvrir de lamelles d'edam. Décorer d'un cerneau de noix.

CANAPE AU FROMAGE ET AUX RAISINS SECS

Par portion : Calories : 238 ; Fibres : 2,02 g

10 g de corps gras à 41 %
50 g de fromage blanc ferme
20 g de raisins secs
1 cerneau de noix

— Ecraser le cerneau de noix. Faire une pâte avec le fromage blanc, les raisins secs et la noix écrasée. Tartiner le corps gras et répartir le mélange par-dessus.

CANAPE AUX OEUFS BROUILLES

Par portion : Calories : 231 ; Fibres : 0,64 g

« beurre » d'herbes
2 œufs brouillés
poivre

— Tartiner le « beurre » d'herbes. Répartir les œufs brouillés par-dessus. Poivrer légèrement.

CANAPE AU MAIS DOUX ET AUX POMMES

Par portion : Calories : 217 ; Fibres : 3,65 g

« beurre » de moutarde
1 cuillerée à soupe de maïs doux en conserve
1/2 pomme
jus de citron
poivre

— Emincer la pomme. L'arroser de jus de citron pour qu'elle ne noircisse pas. Mélanger avec le maïs doux. Tartiner le « beurre » de moutarde. Répartir le mélange par-dessus. Poivrer légèrement.

CANAPE RADIS-FROMAGE BLANC

Par portion : Calories : 121 ; Fibres : 1,24 g

« beurre » d'herbes
30 g de fromage blanc type demi-sel
50 g de radis

— Laver les radis. Les émincer. Les mélanger au fromage blanc. Tartiner le « beurre » d'herbes. Répartir le mélange par-dessus.

SANDWICH DE BOEUF AU CRESSON

Par portion : Calories : 313 ; Fibres : 2,88 g

Mayonnaise andalouse
100 g de bœuf froid
50 g de cresson

— Laver le cresson. Ne garder que les feuilles. Couper le rôti de bœuf en bouchées. Tartiner les deux tranches de pain avec la mayonnaise andalouse. Poser par-dessus les feuilles de cresson. Disposer le bœuf sur l'une des tranches. Poser l'autre par-dessus.

SANDWICH POULET-SALADE

Par portion : Calories : 283 ; Fibres : 2,98 g

Sauce tartare
1 beau blanc de poulet
3 feuilles de laitue

— Laver et sécher la laitue. La couper en chiffonnade. Couper le poulet en lamelles fines. Tartiner les deux tranches de pain de sauce tartare. Poser sur chacune de la chiffonnade de laitue. Disposer les lamelles de poulet sur l'une d'elles. Fermer le sandwich.

SANDWICH SARDINES-TOMATE

Par portion : Calories : 288 ; Fibres : 2,98 g

« beurre » d'anchois
1 tomate
3 feuilles de laitue
2 sardines à l'huile égouttées
citron
sel

— Ecraser les sardines à l'huile avec un peu de jus de citron. Laver et essuyer la tomate. La couper en rondelles. Saler légèrement et laisser dégorger. Sécher.
— Laver et égoutter la laitue. Couper en chiffonnade.
— Tartiner de « beurre » d'anchois. Répartir par dessus la chiffonnade de laitue et les rondelles de tomates. Poser la purée de sardines au milieu d'une des tranches de pain. Refermer le sandwich.

SANDWICH A L'OMELETTE

Par portion : Calories : 334 ; Fibres : 2,48 g

« beurre » de moutarde
1 omelette froide de 2 œufs
quelques branches de cresson

— Laver les feuilles de cresson. Les sécher. Tartiner le « beurre » de moutarde. Disposer par dessus les feuilles de cresson. Poser l'omelette découpée en lamelles sur l'une des deux tranches de pain. Refermer le sandwich.

SANDWICH JAMBON-SALADE

Par portion : Calories : 343 ; Fibres : 1,53 g

« beurre » d'herbes
1 tranche de jambon épaisse
3 feuilles de laitue

— Laver et sécher la laitue. La couper en chiffonnade. Retirer le gras du jambon. Couper en carrés. Tartiner le « beurre » d'herbes. Recouvrir de chiffonnade de laitue. Disposer les lamelles de jambon sur l'une des deux tranches. Refermer le sandwich.

SANDWICH AUX CAROTTES

Par portion : Calories : 168 ; Fibres : 4,11 g

« beurre » d'anchois
1 belle carotte
jus de citron
20 g d'edam
poivre

— Brosser la carotte sous l'eau courante. La râper. Arroser de jus de citron. Poivrer. Couper l'edam en lamelles. Tartiner le « beurre » d'anchois. Egoutter les carottes. Mélanger aux lamelles d'edam. Répartir sur les deux tranches de pain. Refermer le sandwich.

SANDWICH AU CELERI

Par portion : Calories : 412 ; Fibres : 1,65 g

« beurre » de moutarde
1 branche de céleri
30 g de fromage blanc type demi-sel
30 g de noix

— Nettoyer, laver, sécher et hacher la branche de céleri. Ecraser les noix. Mélanger avec le fromage blanc. Tartiner le « beurre » de moutarde. Répartir le mélange sur les deux tranches de pain. Refermer le sandwich.

SANDWICH AU GRUYERE

Par portion : Calories : 268 ; Fibres : 3,54 g

« beurre » de cresson »
1 petite tomate
quelques branches de cresson
20 g de gruyère
sel

— Laver et essuyer la tomate. Couper en tranches. Saler légèrement et laisser dégorger. Laver le cresson. Ne garder que les feuilles. Couper le gruyère en lamelles. Tartiner le « beurre » de cresson. Disposer par-dessus les feuilles de cresson. Mettre les tranches de tomates égouttées sur une tranche, les lamelles de gruyère sur l'autre. Refermer le sandwich.

SANDWICH AU SAUMON FUME

Par portion : Calories : 282 ; Fibres : 1,54 g

20 g de corps gras à 41 %
70 g de saumon fumé
1 feuille de laitue
citron

— Arroser le saumon de jus de citron. Laver la feuille de laitue. Sécher. Couper en minuscule chiffonnade. Tartiner le pain de corps gras. Répartir la salade par-dessus. Couper le saumon en lamelles. Répartir sur les deux tranches. Refermer le sandwich.

LES DESSERTS AUX FRUITS CRUS

Un fruit nature, bien lavé, mais consommé chaque fois que possible avec sa peau, c'est la solution la plus rapide pour le dessert. Et c'est pratiquement la seule possible quand on emporte son déjeuner. Nous vous donnons, ci-dessous, la teneur en Calories et en fibres d'une portion moyenne des principaux d'entre eux.

FRUIT	POIDS	CALORIES	FIBRES
Abricot	3 moyens = 150 g	66	1,95 g
Ananas	1 tranche	75	2,1 g
Banane	100 g	85	2,19 g
Brugnon	1 gros ou 2 petits = 125 g	80	0,8 g
Cerise	1 poignée = 150 g	110	1,87 g
Clémentine	125 g	50	0,3 g
Fraise	100 à 120 g	40 à 50	2,65 g
Framboise	100 g	40	7,4 g
Groseille	100 g	30	6,8 g
Orange	125 g	65	2,22 g
Pamplemousse	1/2 = 150 g	64	0,45 g
Pêche	125 g	48	2,85 g
Poire	125 g	76	3,05 g
Pomme	125 g	73	3,02 g
Prune	3 belles = 150 g	96	3, g
Raisin	1 petite grappe = 100 g	63	0,44 g

Mais on peut aussi mélanger divers fruits crus entre eux (et l'association des saveurs est délicieuse) ou les utiliser pour préparer des sorbets. Les recettes que nous vous proposons ci-dessous sont très parfumées. Nous ne les avons sucrées qu'au minimum et toujours à l'édulcorant.

MELON AUX RAISINS

Par portion : Calories : 128 ; Fibres : 1,42 g

2 melons de taille moyenne
1 petite grappe de raisins blancs
1 petite grappe de raisins noirs
0,050 l de pineau ou de porto
l'équivalent de 15 g de sucre en édulcorant

— Couper les melons en deux. Retirer les pépins.
— Evider en formant des petites boules à l'aide d'une cuiller.
— Laver et égrener soigneusement les raisins. Les mettre dans un saladier avec les morceaux de melon. Mélanger l'édulcorant et le pineau. Verser sur les fruits. Couvrir et laisser macérer au frais pendant 2 heures. Conserver les écorces vides au frais.
— Au moment de servir, remplir les écorces avec le mélange de fruits.

SALADE DE FRAISES AU KIRSCH

Par portion : Calories : 89 ; Fibres : 3,52 g

500 g de fraises
2 bananes
1 citron
1 cuillerée à soupe de kirsch
édulcorant pour 60 g de sucre

— Laver les fraises sous l'eau courante. Les sécher délicatement sur un papier absorbant. Oter les queues.
— Eplucher les bananes et les couper en rondelles.
— Mélanger jus de citron, kirsch et édulcorant.
— Mettre les fruits dans une grande coupe et arroser du liquide. Laisser macérer au frais pendant 1 heure.

FRAISES AU COULIS DE RHUBARBE

Par portion : Calories : 85 ; Fibres : 6,43 g

600 g de fraises
500 g de rhubarbe
édulcorant pour 200 g de sucre

— Bien nettoyer les tiges de rhubarbe. Retirer les parties dures. Découper en morceaux de 3 cm environ. Mettre dans une casserole avec un verre d'eau chaude et l'édulcorant. Couvrir et laisser cuire doucement jusqu'à ce que la rhubarbe s'écrase. Passer au mixer. Laisser refroidir.

— Laver les fraises à l'eau courante. Sécher sur un papier absorbant. Retirer les queues. Les disposer dans une coupe plate et recouvrir de coulis de rhubarbe.

SALADE DE MELON

Par portion : Calories : 68 ; Fibres : 5 g

2 petits melons
200 g de fraises
100 g de framboises
100 g de groseilles équeutées
1 citron
1 sachet de sucre vanillé (= 8 g de sucre)
édulcorant pour 100 g de sucre

— Essuyer les framboises. Laver les fraises et les groseilles sous l'eau courante. Sécher sur un papier absorbant. Retirer les queues des fraises.

— Couper les melons en deux. Retirer les graines. Oter la chair et la couper en petits cubes en recueillant le jus. Ajouter les morceaux aux autres fruits dans un saladier.

— Mélanger jus de melon et jus de citron. Ajouter une cuillerée à café d'eau. Chauffer légèrement. Ajouter sucre vanillé et édulco-

rant. Verser sur les fruits.
— Laisser macérer au frais pendant 2 heures.

MELON AU GINGEMBRE

Par portion : Calories : 30 ; Fibres : 0,6 g

2 melons
1 petit morceau de racine de gingembre
1/2 citron
édulcorant pour 80 g de sucre

— Presser le citron. Ajouter une cuillerée à soupe d'eau, l'édulcorant et le gingembre râpé.
— Couper les melons en dés. Retirer les graines. Couper la chair en petits dés en recueillant le jus. Mettre jus et morceaux de melon dans un saladier. Arroser avec le mélange précédent. Servir bien frais.

SALADE DE PASTEQUE

Par portion : Calories : 109 ; Fibres : 5,73 g

500 g de pastèque
200 g de groseilles équeutées
100 g de fraises
1 cuillerée à soupe de kirsch
30 g d'amandes
édulcorant pour 60 g de sucre

— Laver fraises et groseilles à l'eau courante. Sécher sur un papier absorbant. Retirer les queues des fraises.
— Retirer les graines et l'écorce de la pastèque. La couper en gros morceaux. Mettre tous les fruits dans un saladier. Recouvrir d'amandes finements râpées.
— Mélanger le kirsch, 2 cuillerées à soupe d'eau et l'édulcorant. Arroser les fruits. Mettre au frais pendant 2 h.

SORBET AUX POIRES

Par portion : Calories : 85 ; Fibres : 3 g

3 belles poires
100 g de fromage blanc à 0 % de m.g.
1/2 cuillerée à soupe de vanille en poudre
3 blancs d'œufs
1 cuillerée à soupe d'alcool blanc
édulcorant pour 75 g de sucre

— Retirer la queue et les pépins des poires. Passer les fruits au mixer. Ajouter l'alcool blanc, la vanille en poudre et l'édulcorant.
— Battre le fromage blanc. Ajouter à la purée de poires.
— Battre les blancs d'œufs en neige. Mélanger à la préparation précédente. Répartir dans des récipients individuels. Mettre à glacer.

ANANAS SURPRISE

Par portion : Calories : 87 ; Fibres : 3,15 g

1 ananas frais de taille moyenne
1 petite pomme
1 citron
150 g de fraises des bois
1 sachet de sucre vanillé
édulcorant pour 40 g de sucre

— Laver la pomme. La couper en quatre. Retirer les pépins. Couper en petits dés et arroser de jus de citron.
— Retirer un chapeau sur le dessus de l'ananas. Le vider de sa chair. Retirer la partie centrale dure. Couper le reste en petits morceaux. Recueillir le jus.
— Mélanger le jus d'ananas, le sucre vanillé et l'édulcorant.
— Mélanger tous les fruits et le jus parfumé. Mettre au frais ainsi que la coque d'ananas vidée. Au moment de servir, remplir la coque avec la salade de fruits.

SALADE DE FRUITS ROUGES

Par portion : Calories : 40 ; Fibres : 6,46 g

200 g de fraises
200 g de framboises
100 g de groseilles
édulcorant pour 50 g de sucre.

— Essuyer les framboises. Laver les fraises et groseilles à l'eau courante. Sécher sur un papier absorbant. Retirer la queue des fraises.
— Mettre dans une coupe les groseilles, la moitié des fraises et la moitié des framboises.
— Ecraser le restant des fruits. Ajouter l'édulcorant et 2 cuillerées à soupe d'eau. Mettre dans une casserole et porter à ébullition. Verser bouillant sur les fruits.
— Mettre au réfrigérateur et servir bien frais.

ORANGE GIVREE

Par portion : Calories : 79 ; Fibres : 1,78 g

5 oranges
1/2 citron
150 g de fromage blanc à 0 % de m.g.
édulcorant pour 80 g de sucre

— Presser le jus du citron et d'une orange
— Retirer un chapeau sur les 4 oranges restantes. Retirer la chair en la coupant à vif en petits morceaux. Recueillir ces morceaux et le jus. Ajouter le jus déjà pressé et l'édulcorant.
— Battre le fromage blanc. Ajouter peu à peu la préparation précédente. Remettre dans les écorces d'oranges. Mettre à glacer.

FRUITS A LA CANNELLE

Par portion : Calories : 104 ; Fibres : 3,65 g

1 orange
2 pommes
2 poires
0,100 l de porto
édulcorant pour 40 g de sucre
2 pincées de cannelle en poudre

— Presser le jus d'orange. Mélanger avec le porto et l'édulcorant. Ajouter la cannelle.

— Laver les pommes et les poires. Les couper en deux. Retirer les pépins. Couper en tranches minces et ajouter le liquide au fur et à mesure.

PECHES AUX FRAMBOISES

Par portion : Calories : 67 ; Fibres : 5,98 g

---

8 petites pêches
200 g de framboises
1/2 citron
édulcorant pour 100 g de sucre
1 pincée de cannelle

— Laver et essuyer les pêches. Les couper en quatre et les mettre dans un saladier.

— Mélanger le jus de citron, l'édulcorant et la cannelle. Verser sur les pêches. Mettre au frais ainsi que les framboises. Ajouter celles-ci dans le saladier au moment de servir. Mélanger.

LES DESSERTS AU YAOURT

Le yaourt, le vrai, est un excellent aliment. Ses ferments lactiques ont une action équilibrante sur la flore intestinale. Et c'est la flore intestinale qui « s'occupe » des fibres alimentaires. C'est, en outre, une bonne source de calcium. Le yaourt nature, préparé à partir de lait demi-écrémé n'est pas très gras (1,5 g de lipides pour 100 g). Et il est tellement plus savoureux que le yaourt maigre ! Ce dernier est d'ailleurs souvent vendu sucré pour remédier à ce défaut.

Dans certains pays, on autorise la vente de « yaourts » stériles qui n'ont pas l'intérêt des véritables yaourts. Mais les meilleurs yaourts sont ceux que l'on fabrique soi-même avec des ferments spéciaux (pharmacies, magasins diététiques). Vous pouvez, du reste, les préparer totalement maigres et très bons en prenant pour base de préparation du lait écrémé « enrichi » (1 litre de lait écrémé + 100 g de lait écrémé en poudre) en suivant les indications portées sur l'emballage du ferment.

Les recettes suivantes, à base de yaourt nature, sources non négligeables de fibres, représentent des desserts ou des boissons (milk-shakes) originaux et agréables.

FRUITS GLACES AU YAOURT

Par portion : Calories : 153 ; Fibres : 7,48 g

2 pots de yaourt nature
200 g de fraises
200 g de framboises
1 pomme
1 poire
édulcorant pour 100 g de sucre
1 citron
2 cuillerées à soupe d'amandes hachées

— Essuyer les framboises. Laver les fraises. Les sécher sur du papier absorbant. Retirer les queues.

— Laver la pomme et la poire. Retirer les pépins. Couper en petits morceaux.
— Mettre tous les fruits dans une casserole avec le jus de citron et la moitié de l'édulcorant. Porter à ébullition. Laisser cuire à feu doux pendant 15 minutes. Passer au mixer. Laisser refroidir.
— Battre les yaourts avec le restant de l'édulcorant. Napper la compote. Recouvrir d'amandes hachées.
— Servir très frais.

COMPOTE AU YAOURT

Par portion : Calories : 225 ; Fibres : 7,3 g

75 g de pruneaux
75 g d'abricots secs
75 g de figues sèches
50 g de raisins secs
50 g d'amandes hachées
2 pots de yaourt nature
1 petit morceau de bois de cannelle
édulcorant pour 100 g de sucre.

— Laver les fruits secs. Les faire tremper 2 heures dans 1 litre d'eau. Puis porter à ébullition en ajoutant le morceau de bois de cannelle émietté. Au bout d'une heure, ajouter l'édulcorant. Continuer la cuisson jusqu'à ce que le jus ait bien réduit.
— Laisser refroidir. Puis mettre au réfrigérateur 2 heures au moins. Egoutter. Disposer dans une coupe. Napper de yaourt. Recouvrir d'amandes hachées.

MOUSSE AUX FRAISES

Par portion : Calories : 85 ; Fibres : 2,97 g

400 g de fraises
2 pots de yaourt nature
1/2 citron

édulcorant pour 80 g de sucre
— Laver les fraises à l'eau courante. Sécher sur du papier absorbant. Retirer les queues. Passer au mixer.
— Mélanger purée de fraises, édulcorant et jus de citron. Ajouter le yaourt. Bien mélanger.
— Répartir dans des récipients individuels et mettre à glacer.

MOUSSE AUX BANANES

Par portion : Calories : 178 ; Fibres : 1,86 g

4 bananes moyennes
2 pots de yaourt nature
1 citron
30 g de raisins secs
1 cuillerée à soupe de rhum brun
cannelle
édulcorant pour 80 g de sucre
— Mettre les raisins à tremper dans le rhum additionné de juste assez d'eau pour qu'ils soient bien recouverts.
— Couper une banane en rondelles. Arroser de jus de citron.
— Passer les autres bananes au mixer avec la moitié de l'édulcorant.
— Incorporer le restant de l'édulcorant au yaourt. Ajouter les raisins secs égouttés et la cannelle. Incorporer à la purée de bananes.
— Verser dans des coupes et décorer avec les rondelles de bananes. Servir très frais.

CREME AUX AMANDES

Par portion : Calories : 240 ; Fibres : 4,12 g

4 pots de yaourt nature
100 g d'amandes
1/2 citron

30 g de raisins secs
édulcorant pour 100 g de sucre
— Piler les amandes en purée très fine.
— Mélanger les yaourts, le jus de citron, l'édulcorant et la purée d'amandes. Ajouter les raisins secs.
— Répartir dans des récipients individuels. Mettre au réfrigérateur pendant 3 heures au moins.

CREME TOUS FRUITS

Par portion : Calories : 130 ; Fibres : 2,85 g

200 g de fraises
2 tranches d'ananas frais
2 bananes
2 pots de yaourt nature
1/2 citron
cannelle
édulcorant pour 80 g de sucre.
— Battre les yaourts avec la cannelle et l'édulcorant.
— Couper l'ananas en petits dés. Couper les bananes en rondelles. Arroser de jus de citron. Laver les fraises à l'eau courante. Sécher sur du papier absorbant. Retirer les queues.
— Mettre 4 fraises de côté. Mélanger les fruits.
— Disposer dans des coupes individuelles en ajoutant en même temps le yaourt sucré et parfumé. Décorer chaque coupe avec une fraise.

CREME AUX NOIX

Par portion : Calories : 388 ; Fibres : 4,2 g

3 pots de yaourt
4 cuillerées à soupe rases de noix écrasées
4 cuillerées à soupe de noisettes écrasées
édulcorant pour 30 g de sucre.

— Battre les yaourts avec l'édulcorant. Ajouter peu à peu les fruits secs écrasés. Mettre dans des coupes individuelles. Faire refroidir au réfrigérateur pendant 5 heures au moins.

DESSERT A L'ANANAS

Par portion : Calories : 196 ; Fibres : 2,9 g

4 tranches d'ananas frais
2 pots de yaourt nature
1/2 citron
20 g de noisettes hachées
édulcorant pour 40 g de sucre

— Couper l'ananas en petits dés. Arroser avec le jus de citron additionné de la moitié de l'édulcorant.

— Répartir dans des coupes. Recouvrir avec le yaourt battu avec le restant de l'édulcorant. Saupoudrer de noisettes hachées.

MILK-SHAKE AU CITRON

Par portion : Calories : 162 ; Fibres : 1,8 g

2 yaourts nature
0,300 l de lait écrémé
1 citron
40 g d'amandes hachées
édulcorant pour 40 g de sucre

— Presser le citron. Mélanger tous les ingrédients au batteur électrique. Mettre au réfrigérateur pendant 2 heures environ. Battre à nouveau pour faire mousser avant de servir.

MILK-SHAKE BANANE-FRAISE

Par portion : Calories : 144 ; Fibres : 2,15 g

2 pots de yaourt nature
0,300 l de lait écrémé
2 petites bananes
200 g de fraises
1 citron
édulcorant pour 60 g de sucre.

— Couper les bananes en morceaux. Passer au mixer avec le jus de citron. Ajouter les fraises, puis les yaourts et le lait écrémé et, enfin, l'édulcorant.

— Mettre au réfrigérateur pendant au moins 2 heures. Battre à nouveau pour faire mousser au moment de servir.

LES COMPOTES ET LES FRUITS CUITS

Cuits, les fruits n'ont plus tout à fait les qualités vitaminiques qui sont les leurs à l'état cru. Mais comme il suffit d'un agrume par jour pour assurer la sécurité sur le plan de la vitamine C et que pommes de terre et légumes cuits et crus complètent cet apport, il serait dommage de se priver de ces desserts. D'autant plus que leurs fibres, tout aussi efficaces qu'à l'état cru, sont attendries par la cuisson. L'intestin risque moins d'être irrité. C'est intéressant dans les premières semaines du Plan-Fibres. Les recettes qui suivent sont à base de fruits frais ou de fruits secs.

PRUNEAUX AU THE

Par portion : Calories : 145 ; Fibres : 6,7 g

200 g de pruneaux
1/2 citron
4 cuillerées à café rases de thé
édulcorant pour 50 g de sucre

— Laver soigneusement les pruneaux. Les faire tremper pendant 2 heures. Egoutter. Mettre dans un saladier.
— Préparer 1/2 litre de thé.
— Le verser bouillant sur les pruneaux. Ajouter le demi-citron coupé en quatre et l'édulcorant. Laisser infuser pendant 3 heures.

PRUNEAUX AUX BANANES

Par portion : Calories : 130 ; Fibres : 4 g

125 g de pruneaux
2 petites bananes
2 cuillerées à café rases de thé
vanille en poudre

édulcorant pour 30 g de sucre
— Préparer les pruneaux comme ci-dessus en remplaçant le citron par de la vanille en poudre.
— Lorsqu'ils ont infusé 2 heures, ajouter les bananes coupées en rondelles. Mélanger. Laisser infuser encore 1 heure.

COMPOTE D'ABRICOTS SECS

Par portion : Calories : 170 ; Fibres : 5,1 g

---

250 g d'abricots secs
vanille en poudre
cannelle en poudre
édulcorant pour 50 g de sucre
— Laver soigneusement les abricots. Les faire tremper pendant 4 à 5 heures. Egoutter.
— Dans une casserole, mettre 1/2 litre d'eau, de la vanille en poudre et l'édulcorant. Porter à ébullition. Ajouter les fruits. Laisser cuire doucement pendant 40 minutes environ. Verser dans un saladier.
— Saupoudrer de cannelle. Laisser refroidir.

POIRES AU VIN ROUGE

Par portion : Calories : 79 ; Fibres : 3,66 g

---

600 g de petites poires pas trop mûres
1,5 verre de vin rouge
cannelle
édulcorant pour 125 g de sucre
— Mettre 2 verres d'eau, le vin et l'édulcorant dans une casserole. Chauffer.
— Eplucher les poires. Les couper en quatre en laissant les pépins. Mettre les quartiers dans la casserole au fur et à mesure. Couvrir à moitié et laisser cuire pendant 1/2 heure environ.
— Retirer les poires avec une écumoire sans cesser de chauffer.

Les disposer sur un compotier.
— Ajouter la cannelle au jus de cuisson et laisser réduire pendant 10 minutes. Verser sur les fruits.
— Se mange tiède ou froid

POIRES AU GINGEMBRE

Par portion : Calories : 91 ; Fibres : 3,66 g

600 g de petites poires bien fermes
1 sachet de sucre vanillé
édulcorant pour 50 g de sucre
1 cuillerée à café d'alcool de poires
1 petit morceau de gingembre confit

— Dissoudre l'édulcorant et le sucre vanillé dans 0,400 l d'eau. Porter à ébullition.
— Eplucher les poires. Les couper en quatre en conservant les pépins. Mettre à cuire doucement dans le jus ci-dessus jusqu'à ce qu'elles soient devenues translucides.
— Retirer. Ecraser à la fourchette. Ajouter l'alcool de poires et le gingembre râpé. Mélanger.
— Répartir dans des coupes individuelles. Servir très frais.

GRATIN DE POIRES

Par portion : Calories : 105 ; Fibres : 3,1 g

4 poires de taille moyenne
3 blancs d'œufs
1 sachet de sucre vanillé
1/2 gousse de vanille
1 cuillerée à café d'alcool de poires
édulcorant pour 60 g de sucre

— Eplucher les poires. Les couper en quatre en conservant les pépins. Mettre à cuire dans 2 verres d'eau avec la demi-gousse de vanille fendue en deux et l'édulcorant. Laisser cuire pendant 1/4

d'heure environ. Egoutter.
— Mettre dans un plat à four et écraser légèrement à la fourchette. Arroser d'alcool de poires.
— Battre les blancs d'œufs en neige avec le sucre vanillé. Etaler à la surface des poires. Mettre à four doux pendant 10 minutes pour colorer légèrement. Servir tiède.

POMMES EN CHEMISE

Par portion : Calories : 65 ; Fibres : 3,1 g

4 reinettes de taille moyenne
4 cubes d'édulcorant
10 g de corps gras à 41 %
1 petit verre de calvados
cannelle en poudre

— Laver et essuyer les pommes. Retirer cœur et pépins au vide-pommes, mais ne pas peler. Poser chaque pomme sur un carré d'aluminium ménager légèrement graissé.
— Tremper les cubes d'édulcorant dans le calvados. En mettre un dans chaque pomme. Ajouter une pincée de cannelle. Refermer la « chemise » d'aluminium.
— Faire cuire à four moyen pendant 40 minutes. Servir chaud en ouvrant la « chemise » au dernier moment.

CERISES AU CIDRE

Par portion : Calories : 154 ; Fibres : 2,5 g

800 g de cerises un peu acides
0,500 l de cidre
zeste d'un demi-citron bien lavé
édulcorant pour 130 g de sucre

— Laver et sécher les cerises. Retirer les queues. Mettre dans une casserole avec le zeste de citron et l'édulcorant. Laisser mijoter pendant 20 minutes environ.
— Verser dans un saladier et laisser refroidir jusqu'au lendemain.

MELON EN PAPILLOTE

Par portion : Calories : 45 ; Fibres : 0,9 g

4 petits melons
2 cuillerées à soupe de kirsch
édulcorant pour 100 g de sucre

— Laver et essuyer les melons. Retirer un chapeau sur le dessus. Retirer et éliminer les graines. Retirer la chair. La couper en petits morceaux. Mélanger avec l'édulcorant et le kirsch. Remettre dans les écorces.

— Entourer d'aluminium ménager. Mettre à four chaud pendant 15 minutes. Servir tiède.

COMPOTE D'OCTOBRE

Par portion : Calories : 97 ; Fibres : 2,65 g

2 petites pommes
2 poires moyennes
200 g de raisins noirs
1 clou de girofle
cannelle
noix muscade
zeste d'un demi-citron
édulcorant pour 80 g de sucre

— Laver, sécher et égrener les raisins. Laver et essuyer les pommes et les poires. Retirer les pépins et couper en petits cubes.

— Mettre dans une casserole. Ajouter le zeste de citron râpé, 1/2 verre d'eau, les épices et l'édulcorant. Chauffer. Laisser cuire environ 30 minutes à feu doux.

— Verser dans un saladier. Laisser refroidir.

QUETSCHES AUX EPICES

Par portion : Calories : 96 ; Fibres : 3 g

600 g de quetsches (prunes noires)
0,500 l de vin rouge
1 morceau de bois de cannelle
1 citron
2 clous de girofle
édulcorant pour 125 g de sucre

— Laver et essuyer les quetsches. Laver le citron et prélever le zeste. Le hacher finement.

— Mettre le zeste dans une casserole avec le vin rouge, l'édulcorant et les épices. Porter à ébullition. Laisser cuire doucement pendant 5 minutes. Plonger les prunes dans ce liquide. Laisser cuire 5 minutes à partir de la reprise de l'ébullition.

— Verser dans un saladier. Mettre au réfrigérateur jusqu'au lendemain.

CLAFOUTIS DE PRUNEAUX

Par portion : Calories : 282 ; Fibres : 10 g

200 g de pruneaux
1/2 citron
4 cuillerées à soupe rases de thé
2 œufs
0,300 l de lait écrémé
édulcorant pour 80 g de sucre

— Faire cuire les pruneaux au thé comme ci-dessus. Les égoutter et les dénoyauter.

— Battre les œufs. Ajouter le lait et le restant de l'édulcorant.

— Mettre les pruneaux dans le fond d'un plat à four à revêtement antiadhésif. Verser le liquide par-dessus.

— Faire cuire à four chaud pendant 35 minutes. Servir tiède.

FLAN AUX RAISINS

Par portion : Calories : 219 ; Fibres : 0,55 g

500 g de raisins blancs et rouges mélangés
30 g de farine complète
0,400 l de lait écrémé
3 œufs
1 sachet de sucre vanillé
édulcorant pour 80 g de sucre

— Laver, sécher et égrener les raisins.
— Battre les œufs avec le sucre vanillé. Ajouter peu à peu la farine et l'édulcorant. Verser par dessus le lait écrémé bien chaud.
— Disposer les grains de raisin dans un plat à four à revêtement antiadhésif. Verser le mélange précédent par dessus. Faire cuire à four chaud pendant 45 minutes environ. Servir tiède.

BANANES EN ROBE DE CHAMBRE

Par portion : Calories : 138 ; Fibres : 2,18 g

4 belles bananes
40 g de corps gras à 41 %
1/2 citron
édulcorant pour 50 g de sucre

— Laver les bananes. Les essuyer. Les disposer dans un plat à four à revêtement antiadhésif. Les faire cuire à four chaud pendant 30 minutes.
— Faire fondre doucement le corps gras. Ajouter le jus du demi-citron et l'édulcorant.
— Servir les bananes chaudes dans leur « robe ». On ouvre et on arrose de jus.

COMPOTE DE CERISES

Par portion : Calories : 154 ; Fibres : 2,50 g

800 g de cerises noires
0,05 l de kirsch
édulcorant pour 100 g de sucre

— Laver, sécher et équeuter les cerises.
— Mettre dans une casserole 0,400 l d'eau et l'édulcorant. Porter à ébullition. Verser les cerises. Laisser cuire doucement 20 minutes après reprise de l'ébullition.
— Verser dans un saladier. Ajouter le kirsch. Laisser refroidir. Servir très frais.

COMPOTE DE FIGUES FRAICHES

Par portion : Calories : 140 ; Fibres : 9,15 g

---

500 g de figues
1 citron
vanille en poudre
édulcorant pour 125 g de sucre

— Laver et essuyer les figues. Les couper en quatre.
— Mettre dans une casserole 0,100 l d'eau avec l'édulcorant et la vanille en poudre. Porter à ébullition. Ajouter les figues. Laisser cuire doucement 10 minutes après reprise de l'ébullition. Verser dans un saladier. Ajouter le jus du citron. Laisser refroidir.

COMPOTE DE PECHES

Par portion : Calories : 104 ; Fibres : 4,56 g

---

8 petites pêches
1/2 citron
vanille en poudre
édulcorant pour 125 g de sucre

— Laver et essuyer les pêches. Couper en deux et retirer les noyaux. En casser la moitié et retirer les amandes.
— Dans une casserole, mettre 1 verre d'eau avec le jus du citron, de la vanille en poudre et l'édulcorant. Porter à ébullition. Mettre

les pêches à pocher pendant 10 minutes à partir de la reprise de l'ébullition.
— Disposer les pêches dans un compotier. Saupoudrer avec les amandes des noyaux hachées. Arroser de jus. Laisser refroidir.

COMPOTE D'AUTOMNE

Par portion : Calories : 90 ; Fibres : 2,63 g

---

1 belle pomme
1 belle poire
1 grappe de raisin
200 g de quetsches
cannelle
édulcorant pour 100 g de sucre

— Laver et sécher le raisin. Egrener. Laver et essuyer les quetsches. Laver et essuyer la pomme et la poire. Les couper en quatre.
— Dans une casserole, mettre 1 verre 1/2 d'eau, l'édulcorant et de la cannelle en poudre. Porter à ébullition. Y mettre les quartiers de pomme et de poire. Laisser reprendre l'ébullition. Ajouter les quetsches. Laisser à nouveau reprendre l'ébullition. Ajouter les grains de raisin. Laisser cuire environ 25 minutes. Verser dans un compotier et laisser refroidir.

POMORANGE

Par portion : Calories : 94 ; Fibres : 4,29 g

---

5 petites pommes
1 orange
1 cuillerée à soupe de liqueur d'oranges
cannelle
édulcorant pour 75 g de sucre

— Laver et essuyer les pommes. Les couper en quatre. Les mettre dans une casserole avec un demi-verre d'eau, l'édulcorant et le zeste de l'orange. Laisser cuire doucement pendant 10 à 15 minu-

tes. Retirer le zeste et passer au mixer.
— Couper l'orange épluchée en tranches, à vif.
— Ajouter la cannelle et la liqueur d'oranges à la compote de pommes. Laisser tiédir et ajouter les tranches d'orange. Laisser refroidir et servir bien frais.

POMMES CUITES AUX RAISINS SECS

Par portion : Calories : 122 ; Fibres : 4,24 g

---

500 g de pommes
1/2 citron
50 g de raisins secs
1 cuillerée à soupe de rhum brun
édulcorant pour 80 g de sucre

— Mettre les raisins secs à tremper dans le rhum en ajoutant si nécessaire un peu d'eau.
— Laver et essuyer les pommes. Les couper en tranches fines. Mettre dans une casserole avec 1/2 verre d'eau, l'édulcorant et le zeste du demi-citron. Laisser cuire jusqu'à ce qu'il ne reste presque plus de liquide. Arroser de jus de citron. Ajouter les raisins secs égouttés. Verser dans un compotier et laisser bien refroidir.

POMMES A L'ALSACIENNE

Par portion : Calories : 176 ; Fibres : 3 g

---

4 pommes moyennes
4 œufs
0,300 l de lait écrémé
cannelle
édulcorant pour 60 g de sucre

— Battre les œufs. Ajouter le lait, l'édulcorant, la cannelle.
— Laver et essuyer les pommes. Les couper en tranches minces. Disposer dans un plat à four à revêtement antiadhésif. Verser par-dessus le mélange précédent.
— Faire gratiner à four moyen pendant 30 minutes. Servir tiède.

QUELQUES EXEMPLES DE JOURNEES-MENUS

Ces quelques exemples sont destinés à montrer comment on peut inclure les recettes du Plan-Fibres dans ses repas, suivant ses goûts et son mode de vie.

Toutes ces journées-menus sont basées sur des taux caloriques bas (1000, 1250 et 1500 Calories) et un important apport de fibres alimentaires. L'apport protéique doit être également surveillé. C'est indispensable pour conserver son tonus et pour l'entretien de la masse musculaire. Un régime amaigrissant doit apporter au moins 70 g de protéines dont la moitié environ provenant d'aliments animaux : poissons (ils sont tous maigres ou peu gras), foie (il est maigre, lui aussi), viandes (attention, certaines sont très riches en lipides de constitution), œufs (nous en avons déjà parlé), lait écrémé, yaourt, fromages (en quantités très surveillées car ils sont plus ou moins gras).

N.B. : les boissons non alcoolisées (eau, thé, café, ...) ne sont pas mentionnées.

JOURNEE-MENU A 1000 CALORIES

C'est le type d'alimentation que nous pouvons suggérer à une femme qui prend son repas de midi au dehors et qui prépare son repas du soir.

	Protéines g	Calories	Fibres g
Petit déjeuner			
La moitié du Fibres +	2,5	100	7,5
0,300 l de lait écrémé	10,5	108	—
A 11 heures			
1/4 du Fibres +	1,25	50	3,75
Déjeuner			
Sandwich au bœuf et au cresson	21,5	313	2,88
1 pomme	0,4	73	3,02
Dîner			
Foie de veau grillé (125 g)	26	170	—
Brocolis à la tomate	9,25	98	12,5
Fraises (120 g)	1	50	2,65
Dans la soirée			
1/4 du Fibres +	1,25	50	3,75
TOTAL	73,65	1 012	36,05

JOURNEE-MENU A 1000 CALORIES

Cette répartition conviendra mieux à une mère de famille qui prend tous ses repas chez elle et qui a l'habitude de « grignoter ».

	Protéines g	Calories	Fibres g
Petit déjeuner			
La moitié du Fibres +	2,5	100	7,5
0,200 l de lait écrémé	7	72	—
Dans la matinée			
1 yaourt	4	50	—
Déjeuner			
Salade de saumon	11,5	125	4,2
Pruneaux au thé	1,2	145	6,7
Goûter			
1/4 du Fibres +	1,25	50	3,75
0,100 l de lait écrémé	3,5	36	—
Dîner			
Potée de lapin	49	255	8,17
Camembert (30 g)	6	104	—
1 pêche	0,5	48	2,85
Dans la soirée			
1/4 du Fibres +	1,25	50	3,75
TOTAL	87,7	1 035	36,92

JOURNEE-MENU A 1250 CALORIES

Ce schéma convient à un homme plutôt sédentaire qui a l'habitude de deux repas importants à midi et le soir et ne mange jamais rien entre temps.

	Protéines g	Calories	Fibres g
Petit déjeuner			
La moitié du Fibres +	2,5	100	7,5

0,300 l de lait écrémé	10,5	108	—
1/2 h avant le repas			
1/4 du Fibres +	1,25	50	3,75
Dejeuner			
Pilaf aux légumes	27,8	408	4,89
Fromage blanc à 0 %(50 g)	2	18	—
Salade de fruits rouges	1	40	6,46
1/2 h avant le repas			
1/4 du Fibres +	1,25	50	3,75
Dîner			
Escalope (125 g)	24	210	—
Epinards en gâteau	16,25	98	15,45
Dessert à l'ananas	2,9	196	2,9
TOTAL	89,45	1 278	47,7

JOURNEE-MENU A 1250 CALORIES

Un exemple qui peut convenir à un homme plutôt sédentaire pour un samedi à la maison, avec soirée feuilleton à la télévision.

	Protéines g	Calories	Fibres g
Petit déjeuner			
La moitié du Fibres +	2,5	100	7,5
0,200 l de lait écrémé	7	72	—
Déjeuner			
Rôti de bœuf (150 g)	27	255	—
Purée de pois cassés	13	217	14,1
Prunes	1	96	3

Dans l'après-midi			
La moitié du Fibres +	2,5	100	7,5
0,200 l de lait écrémé	7	72	—
Dîner-télé			
Canapé aux œufs brouillés	15,2	231	0.64
+ 5 g de son			2,2
Milk-shake banane-fraise	5,9	144	2,15
TOTAL	81,1	1 287	37,09

JOURNEE-MENU A 1500 CALORIES

Un exemple pour un adolescent, pour un sportif, pour un homme de grande taille.

	Protéines g	Calories	Fibres g
Petit déjeuner			
La moitié du Fibres +	2,5	100	7,5
0,200 l de lait écrémé	7	72	—
Déjeuner			
Salade de chou-fleur cru	3,5	58	3,44
Poulet aux endives et au citron	38	462	6
Yaourt	4	50	—
Pain complet (30 g)	2,4	71	4,25
Goûter			
1/4 du Fibres +	1,25	50	3,75
0,100 l de lait écrémé	3,5	36	—
Dîner			
Raie aux poireaux	51	406	12,77
Demi-sel (30 g)	3	45	—
Poire	0,6	76	3,05
Pain complet (30 g)	2,4	71	4,25

Dans la soirée			
1/4 du Fibres +	1,25	50	3,75
	120,4	1 547	48,76

JOURNEE-MENU A 1500 CALORIES

Pour un homme qui ne peut vraiment pas se passer de vin.

	Protéines g	Calories	Fibres g
Petit déjeuner			
La moitié du Fibres +	2,5	100	7,5
0,300 l de lait écrémé	10,5	108	—
1/2 h avant le repas			
1/4 du Fibres +	1,25	50	3,75
Déjeuner			
Salade Rachel	2,2	63	4,26
Gratin du pêcheur	26	235	3
Brie ou camembert (30 g)	6	104	—
Pain complet (40 g)	3,2	64	3,4
1/2 verre de vin à 12 %	—	32	—
Dîner			
Soupe d'épinards au safran	9,1	129	17,9
Omelette nature (3 œufs)	21	225	—
Edam (30 g)	8,7	99	—
Prunes	1	96	3
Pain complet (40 g)	3,2	64	3,4
1/2 verre de vin à 12°	—	32	—
Dans la soirée			
1/4 du Fibres +	1,25	50	3,75
TOTAL	95,9	1 451	49,96

TABLE DES MATIÈRES

À propos de l'auteur 7
Avertissement 8
Introduction 9

I Les fibres alimentaires, leurs propriétés, leurs sources 15
II L'importante question des calories 19
III Les rapports calories-fibres 23
IV L'aide des fibres commence dans la bouche 25
V Les fibres, ça « cale »... et pour longtemps 31
VI Toujours faim ? impossible avec les fibres 33
VII Les fibres escamotent des calories 35
VIII Les calories : à combien pouvez-vous diminuer ? 37
IX Les fibres : jusqu'où pouvez-vous aller ? 42
X Que boire ? et combien ? 45
XI Le mélange « fibres + » base du régime 52
XII Où sont les fibres ? 55
XIII Et quand on ne mange pas chez soi ? 63
XIV « Eux » et « nous » : une stupéfiante vérité...... 67
XV Les fibres combattent sainement la constipation 71
XVI Les principales maladies liées au manque de fibres 75
XVII Ces petits ennuis qui donnent de grands soucis 80
XVIII Des fibres pour la vie 83
XIX Les règles du Plan-Fibres 85
XX Les menus du Plan-Fibres 88
- Les petits déjeuners 89
- Les soupes 92
- Les crudités 101
- Les omelettes et oeufs brouillés 109
- Les pommes de terre en robe des champs 116
- Les légumes verts 124
- Les céréales complètes 160
- Les légumes secs 170
- Les salades mélangées 180
- Les canapés et les sandwiches 191
- Les desserts aux fruits crus 201

Les desserts au yaourt........................208
Les compotes et les fruits cuits...............214
Quelques exemples de journées-menus.....224

Achevé d'imprimer
en janvier mil neuf cent quatre-vingt-quatre
sur les presses de l'Imprimerie Gagné Ltée
Louiseville - Montréal.
Imprimé au Canada